Een visje bij de thee

Werk van Annie M.G. Schmidt

Het fluitketeltje (versjes, 1952) 5+
Veertien uilen (versjes, 1952) 5+
De toren van Bemmelekom (versjes, 1953) 5+
Abeltje (1953) 8+
Jip en Janneke (verhaaltjes, 5 delen, 1953-1960) 5+
De lapjeskat (versjes, 1954) 5+
Ik ben lekker stout (versjes, 1955) 5+
De A van Abeltje (1955) 8+
Op visite bij de reus (versjes, 1956) 5+
De graaf van Weet-ik-veel (versjes, 1957) 5+
Wiplala (1957) 8+
Het beertje Pippeloentje (versjes) 3+
Iedereen heeft een staart (versjes, 1959) 5+
Dag, meneer de kruidenier (versjes, 1960) 5+
Het hele schaap Veronica (versjes, 1960) 7+
Wiplala weer (1962) 8+
Heksen en zo (sprookjes, 1964)
Minoes (1970, Zilveren Griffel 1971) 8+
Pluk van de Petteflet (1971, Zilveren Griffel 1972) 4+
Floddertje (1973) 4+
Waaidorp (leesboek, 2 delen, 1972-1979) 6+
Niet met de deuren slaan (versjes, 1979) 5+
Otje (1980, Gouden Griffel 1981) 7+

Annie M.G. Schmidt
Een visje bij de thee

Drieëntwintig verhalen en achtenzestig versjes uit eenentwintig boeken

Amsterdam

Em. Querido's Uitgeverij B.V.

1985

De illustraties zijn van: Wim Bijmoer, 94, 121, 131, 162, 185, 288; Jenny Dalenoord, 30, 71, 123, 134, 140, 146, 232; Margriet Heymans, 282; Carl Hollander, 12, 15, 97, 101, 171, 174, 181, 239; Jan Jutte, 23, 25, 27, 36, 66, 92, 119, 155, 243, 264, 285, 312, 314, 320; The Tjong Khing, 10, 20, 22, 29, 34, 62, 75, 292, 294; Mance Post, 189-229, 318; Fiep Westendorp, 43-61, 77-91, 104, 109, 111, 115, 235, 252-263, 266-281, 297-310 en Francien van Westering, 41, 64, 158, 230, 316.

Een visje bij de thee is uitgegeven als zesendertigste jaarboek van Querido. Het boek is samengesteld door Tine van Buul.

Eerste druk, 1983; tweede druk, 1984; derde, gewijzigde druk, 1985.

ISBN 90 214 8128 6

Inhoud

De sprookjesschrijver (Uit *De lapjeskat*, Amsterdam, 1954) *11*
Spikkeltje (Uit *Heksen en zo*, Amsterdam, 1964) *12*
Ubbeltje van de bakker wil niet slapen gaan (Uit *Het fluitketeltje*, Amsterdam, 1950) *20*
Rekenen op rijm (Uit *Iedereen heeft een staart*, Amsterdam, 1959) *22*
Het beertje Pippeloentje (Uit *Ik ben lekker stout*, Amsterdam, 1955) *23*
De wim-wam reus (Uit *De lapjeskat*, Amsterdam, 1954) *25*
Wat is dat, mevrouw Van Gelder? (Uit *De lapjeskat*, Amsterdam, 1954) *27*
Ik ben lekker stout (Uit *Ik ben lekker stout*, Amsterdam, 1955) *29*
De olifant, die woord hield (Uit *Dit is de spin Sebastiaan*, Amsterdam, 1951) *31*
Vingertje-Lik (Uit *De toren van Bemmelekom*, Amsterdam, 1953) *34*
De beer uit Breukelen (Uit *Veertien uilen*, Amsterdam, 1952) *36*
De oren van koning Maggelhaan (Uit *Het fluitketeltje*, Amsterdam, 1950) *38*
De geit van dokter Sanders (Uit *De lapjeskat*, Amsterdam, 1954) *39*
Rosalind en de vogel Bisbisbis (Uit *Het fluitketeltje*, Amsterdam, 1950) *41*
Opgesloten (Uit *Floddertje*, Amsterdam, 1973) *43*
Schuim (Uit *Floddertje*, Amsterdam, 1973) *48*
Floddertje en de bruid (Uit *Floddertje*, Amsterdam, 1973) *56*
Het fluitketeltje (Uit *Het fluitketeltje*, Amsterdam, 1950) *62*
Spoken in het kasteel (Uit *Op visite bij de reus*, Amsterdam, 1956) *64*
Pepijn de kat (Uit *Dag, meneer de kruidenier*, Amsterdam, 1960) *66*
De tijd van elfjes is voorbij (Uit *De lapjeskat*, Amsterdam, 1954) *68*

Slim snijdertje fopte dertig zeerovers (Uit *Dit is de spin Sebastiaan*, Amsterdam, 1951) *70*
Het mannetje Fop (Uit *Veertien uilen*, Amsterdam, 1952) *73*
De kippetjes van de koning (Uit *Veertien uilen*, Amsterdam, 1952) *75*
Het fornuis moet weg! (Amsterdam, 1974) *77*
Drie kouwelijke mussen (Uit *Dag, meneer de kruidenier*, Amsterdam, 1960) *92*
Meneer Van Kizzebizzer (Uit *Veertien uilen*, Amsterdam, 1952) *94*
De tand (Uit *De graaf van Weet-ik-veel*, Amsterdam, 1957) *96*
Roel-met-gevoel (Uit *Heksen en zo*, Amsterdam, 1964) *97*
Kom, zei het schaap Veronica... (Uit *Het hele schaap Veronica*, Amsterdam, 1960) *105*
He nee, zei 't schaap Veronica... (Uit *Het hele schaap Veronica*, Amsterdam, 1960) *106*
Tjee, zei het schaap Veronica... (Uit *Het hele schaap Veronica*, Amsterdam, 1960) *107*
Zeg, zei het schaap Veronica... (Uit *Het hele schaap Veronica*, Amsterdam, 1960) *108*
W-w-w, zei het schaap Veronica... (Uit *Het hele schaap Veronica*, Amsterdam, 1960) *110*
Ach, zei het schaap Veronica... (Uit *Het hele schaap Veronica*, Amsterdam, 1960) *112*
Wat is dat, riep de dominee... (Uit *Het hele schaap Veronica*, Amsterdam, 1960) *113*
Komaan, zo sprak de dominee... (Uit *Het hele schaap Veronica*, Amsterdam, 1960) *114*
Lepeltjes in een doosje (Uit *Niet met de deuren slaan*, Amsterdam, 1979) *116*
Beppie Snauw (Uit *De graaf van Weet-ik-veel*, Amsterdam, 1957) *117*
Poes Minetje telefoneert (Uit *Niet met de deuren slaan*, Amsterdam, 1979) *119*
Drie meneren in het woud (Uit *Niet met de deuren slaan*, Amsterdam, 1979) *121*
Klompen (Niet eerder gepubliceerd) *123*
Sebastiaan (Uit *Niet met de deuren slaan*, Amsterdam, 1979) *130*

Uit met juffrouw Knoops (Uit *De ark*, Amsterdam, 1955) *132*
Kacheltje (Uit *De graaf van Weet-ik-veel*, Amsterdam, 1957) *153*
De kip Catootje (Uit *Iedereen heeft een staart*, Amsterdam, 1959) *155*
Het Stoute-Kinderen-Huis (Uit *Niet met de deuren slaan*, Amsterdam, 1979) *157*
De slaapwandelende vorst (Uit *Het fluitketeltje*, Amsterdam, 1950) *158*
Moeder Watja, dochter Datja en de boswezens (Uit *Dit is de spin Sebastiaan*, Amsterdam, 1951) *159*
Vissenconcert (Uit *De lapjeskat*, Amsterdam, 1954) *162*
Het toverstokje (Uit *Op visite bij de reus*, Amsterdam, 1956) *163*
Dries versloeg de Weerwolf (Uit *Dit is de spin Sebastiaan*, Amsterdam, 1951) *166*
De mislukte fee (Uit *Op visite bij de reus*, Amsterdam, 1956) *168*
Het hemelse trompetje (Uit *Heksen en zo*, Amsterdam, 1964) *171*
Hendrik Haan (Uit *Niet met de deuren slaan*, Amsterdam, 1979) *182*
Dikkertje Dap (Uit *Het fluitketeltje*, Amsterdam, 1950) *184*
Op de step (Uit *Niet met de deuren slaan*, Amsterdam, 1979) *186*
Troep op de stoep (Uit *Waaidorp 2*, Amsterdam, 1981) *189*
Met de eend naar zee (Uit *Waaidorp 2*, Amsterdam, 1981) *213*
De graaf van Weet-ik-veel (Uit *De graaf van Weet-ik-veel*, Amsterdam, 1957) *230*
De lammetjes en de boze wolf (Uit *Dit is de spin Sebastiaan*, Amsterdam, 1951) *232*
Mr. Van Zoeten (Uit *Het fluitketeltje*, Amsterdam, 1950) *234*
Grote poes geeft les aan haar zoon Kattemenoel (Uit *Op visite bij de reus*, Amsterdam, 1956) *235*
Het meisje dat haar naam kwijt was (Uit *Heksen en zo*, Amsterdam, 1964) *236*

Het stoeltje dat kon wandelen (Uit *Op visite bij de reus*, Amsterdam, 1956) *241*
O die lammetjes (Uit *Ik ben lekker stout*, Amsterdam, 1955) *243*
Reus Borremans wilde ook trouwen (Uit *Dit is de spin Sebastiaan*, Amsterdam, 1951) *244*
Zomeravond (Uit *Op visite bij de reus*, Amsterdam, 1956) *247*
Tante Tuimelaar verdwaalde (Uit *Dit is de spin Sebastiaan*, Amsterdam, 1951) *248*
's Avonds laat (Uit *De graaf van Weet-ik-veel*, Amsterdam, 1957) *251*
De heerlijkste 5 december in vijfhonderdvierenzeventig jaar (Uit *Het beest met de achternaam*, Amsterdam, 1968) *252*
Dromen onder Moeders vleugels (Uit *Ik ben lekker stout*, Amsterdam, 1955) *264*
De trein bleef staan (Uit *De toren van Bemmelekom*, Amsterdam, 1953) *265*
Kroezebetje (Amsterdam, 1967) *266*
Pas op voor de hitte (Uit *De lapjeskat*, Amsterdam, 1954) *282*
Het ventje van zeep (Uit *Dag meneer de kruidenier*, Amsterdam, 1960) *283*
De haan wou hogerop (Uit *Dit is de spin Sebastiaan*, Amsterdam, 1951) *284*
Het zoetste kind (Uit *Op visite bij de reus*, Amsterdam, 1956) *287*
Zwartbessie (Uit *De lapjeskat*, Amsterdam, 1954) *288*
De rovers en de maan (Uit *De graaf van Weet-ik-veel*, Amsterdam, 1957) *299*
De lapjeskat (Uit *De lapjeskat*, Amsterdam, 1954) *291*
De ridder van Vogelenzang (Uit *De lapjeskat*, Amsterdam, 1954) *292*
Liever kat dan dame (Uit *Ik ben lekker stout*, Amsterdam, 1955) *294*
Isabella Caramella (Uit *Op visite bij de reus*, Amsterdam, 1956) *295*
Spiegeltjes rondreis (Amsterdam, 1964) *297*
Waar de koning trek in had (Uit *Het fluitketeltje*, Amsterdam, 1950) *310*

Iedereen heeft een staart (Uit *Iedereen heeft een staart*, Amsterdam, 1959) *312*
Pippeloentje gaat uit logeren (Uit *De toren van Bemmelekom*, Amsterdam, 1953) *314*
De heks van Sier-kon-fleks (Uit *De toren van Bemmelekom*, Amsterdam, 1953) *316*
De polder en het riet (Uit *Weer of geen weer*, Amsterdam, 1954) *318*
Stekelvarkentjes wiegelied (Uit *Het fluitketeltje*, Amsterdam, 1950) *320*

De sprookjesschrijver

Ik ken een man die verhaaltjes verzint
en 's morgens al heel in de vroegte begint.

Hij schrijft over heksen en elfen en feeën
van kwart over zessen tot 's middags bij tweeën.

Hij schrijft over prinsen en over prinsessen
van kwart over tweeën tot 's avonds bij zessen.

Dan slaapt hij en 's morgens begint hij weer vroeg.
Hij heeft aan een inktpotje lang niet genoeg.

Hij heeft in zijn tuin dus een vijver vol inkt,
een vijver door donkere struiken omringd,

en altijd, wanneer hij moet denken, die schrijver,
dan doopt hij zijn kroontjespen weer in de vijver.

Hij heeft nu al tienduizend sprookjes verzonnen
en is nu weer pas aan een ander begonnen.

En als hij daar zit tot het eind van zijn leven,
misschien is die vijver dan leeggeschreven.

Spikkeltje

Er waren eens een koning en een koningin die zo verschrikkelijk graag een kindje wilden hebben. De jaren gingen voorbij en ze kregen geen kindje totdat de koningin eindelijk zei: 'Zal ik eens naar een toverheks gaan?'

'Dat zou ik nooit doen,' zei de koning. 'Daar komt altijd narigheid van.'

'Er woont er eentje vlakbij,' zei de koningin. 'Je weet wel, achter in onze tuin, in de grote pereboom.'

'Woont er een heks in de pereboom?' riep de koning verschrikt.

'Doe niet zo onnozel,' zei de koningin. 'Jij hebt het zelf goedgevonden dat ze daar haar huisje bouwde. Op zo'n dikke tak bovenin. Je weet wel... ze heet Akkeba.'

'O ja,' zei de koning. 'Dat mens dat zo hard op haar bezemsteel door de lucht jaagt. Wou je heus aan haar vragen of...?'

Maar de koningin was al weg. Ze liep de tuin in, ging onder aan de pereboom staan en riep: 'Akkeba!'

Er kwam een oud warrig heksenhoofd tussen de peren door gluren. 'Wie wou daar wat?' vroeg het hoofd.

'Ik ben het,' zei de koningin. 'Ik wou graag een kindje.'

'Kom een beetje hoger. Ik versta je niet,' schreeuwde de heks.

Toen klom de koningin tot boven in de pereboom, tot vlak bij het huisje dat daar tussen de takken was gebouwd en ze herhaalde haar vraag.

'Zo zo,' prevelde de heks. 'Een kindje, wel wel... 's even kijken... Hier,' zei ze toen en gaf de koningin een eitje. Een klein gespikkeld eitje.

'Wat moet ik daarmee?' vroeg de koningin.

'Uitbroeden natuurlijk,' zei de heks. 'Wat anders? Het is een lijster-ei. Ga er drie weken op zitten en broed het uit.'

'Maar...' zei de koningin met bevende stem, 'wordt het dan niet een vogeltje?'

'Helemaal niet,' zei de heks. 'Het wordt een prinsesje. Met alles d'r op en d'r an!'

'En eh... waar moet ik dat doen? Waar moet ik dat ei uitbroeden?' vroeg de koningin.

'In die boom hiernaast,' zei Akkeba. 'In die oude lindeboom.'

'Ik wil het eerst aan mijn gemaal vragen,' zei de koningin en klom met het ei naar beneden.

'Maar denk erom...' riep de heks haar achterna, 'denk erom dat je je dochter in het najaar altijd binnenhoudt! Anders vliegt ze weg met de trekvogels.'

De koningin bedankte de heks en ging naar het paleis terug. 'Moet ik het doen?' vroeg ze aan de koning. 'Ik zie er een beetje tegenop. En dan – een koningin die zit te broeden in een boom... is dat wel zoals het hoort?'

'Helemaal niet zoals het hoort,' zei de koning. 'Ik keur het af.'

'Maar ik wil het toch,' zei de koningin.

'Als je dan met alle geweld wilt,' zei de koning, 'neem dan drie donzen kussens mee, zodat je warm en zacht zit. Ik laat een schutting bouwen om die linde, anders ziet het hele koninkrijk je zitten en dat is nergens voor nodig.'

Zo gebeurde het. De koningin zat drie weken lang op het ei, te midden van donzen kussens en al haar kanten rokken boven in de lindeboom, bijzonder ongemakkelijk, maar gelukkig kon niemand haar zien, want er stond een keurige schutting om de boom.

Na drie weken ging het eitje open en warempel... er kwam geen vogeltje uit, maar een kindje. Een schattig klein, klein kindje met haartjes en nageltjes en een neusje, een lief zoet prinsesje was het.

'Wie had dat gedacht,' bromde de koning toen de koningin ermee binnenkwam. 'Wat een bijzonder knappe dochter. Ze heeft alleen drie zwarte spikkeltjes op haar buikje, maar dat hindert niet, daar gaat altijd wel een jurk overheen. En nu vieren we feest!'

Er werd een machtig feest gevierd, alle vlaggen werden uitgestoken en de heks Akkeba kwam uit haar pereboom om het prinsesje te zien. Ze kietelde het kindje onder de kin en zei tot de koningin: 'Is dat niet prima gelukt? Maar wees vooral voorzichtig in de herfst. *Nooit* naar buiten als de blaren vallen!'

Toen vloog ze weg door het open venster, zo hard als een straaljager.

Het kleine prinsesje heette Gloriandarina, maar iedereen noemde haar Spikkeltje, dat was eenvoudiger. En ze groeide heel normaal op en leek helemaal niet op een vogeltje. Ze was lief en mooi en heel gelukkig, behalve in de herfst, want dan mocht ze niet naar buiten.

'Wacht maar tot de eerste sneeuw valt,' zei de koningin, 'dan mag je met de slee het park in. Nog even geduld... nog even geduld.'

Maar op een van die stormachtige najaarsdagen stond Spikkeltje voor het raam en verveelde zich. Buiten dansten de gele bladeren over het gazon. Ze zonken telkens langzaam terug op het gras totdat de woedende wind ze weer opjoeg en een

mal spelletje met ze speelde en weer andere bruine bladeren van de bomen woei.

'Ik wil meespelen met de wind en de bladeren,' zei Spikkeltje en ze deed het raam open. Ze klom naar buiten en begon te rennen tussen de bomen in de tuin. En juist op dat ogenblik kwam er een grote zwarte troep vogels over het park vliegen, een groep lijsters die gingen trekken naar het zuiden.

Spikkeltje strekte haar armen uit en kreeg zo'n verlangen om mee te vliegen met de vogels. 'Neem me mee!' riep ze.

Achter haar kwam juist de koningin verschrikt de tuin in. 'Niet doen, Spikkeltje,' riep ze. 'Kom dadelijk binnen!'

Maar Spikkeltje luisterde niet. Ze zwaaide met haar armen, ze ging op haar tenen staan, ze maakte vliegbewegingen. En de koningin zag dat haar dochtertje veren kreeg en een snaveltje en twee vlerkjes in plaats van armpjes.

'Mijn kind!' schreeuwde de koningin en rende op haar dochtertje toe. Maar Spikkeltje vloog weg met de andere vogels. Ze was geen prinses meer. Ze was een lijster.

Schreiend liep de koningin naar haar gemaal en vertelde hem wat er gebeurd was.

'We moeten dadelijk naar die heks,' zei de koning en greep zijn hermelijnen pet.

'Zal *ik* niet liever gaan?' vroeg de koningin.

'Nee,' zei de koning. 'Dit wil ik zelf doen.' Hij draafde de tuin door tot bij de grote pereboom en riep: 'Akkeba!'

Het hoofd van de heks kwam te voorschijn. 'Wie wou daar wat?' vroeg ze.

'Mijn dochter is weggevlogen,' riep de koning.

'Kom wat hoger, ik versta je niet!' riep de heks.

De koning klom hijgend naar boven tot aan de hoogste tak, waar het huisje van de heks was.

'Mijn dochter is weggevlogen,' zei hij.

'Jullie eigen schuld,' zei de heks. 'Had je haar maar binnen moeten houden.'

'Ja maar luister nou eens,' zei de koning. 'Hoe krijgen we haar terug?'

'Wacht maar tot het voorjaar wordt,' zei de heks.

'Hoor eens,' zei de koning boos, 'ik beveel jou om ogenblikkelijk mijn dochter terug te brengen. En als je dat niet doet, laat ik je hoofd afslaan.'

'Wat?' riep Akkeba met een schrille stem. 'Wou je mij iets bevelen? Mij? De oeroude heks Akkeba? Scheer je weg of ik verander je in een worm.'

'Jij lelijk oud mens...' begon de koning ziedend van drift, maar de heks zei zacht en dreigend: 'Pas op hoor... in een worm verander ik je... in zo'n worm die in een peer zit... gauw weg... of anders...' En ze keek hem aan met woedende rode oogjes en ze spuwde naar hem.

De arme koning schrok zo en werd zo bang dat hij zich liet vallen en met een pijnlijke smak onder aan de pereboom terechtkwam. Somber ging hij naar het paleis waar de koningin hem opwachtte, met een zakdoek voor haar ogen.

'En...?' vroeg ze.

'Wachten tot het voorjaar wordt,' zei de koning.

'Je hebt het natuurlijk weer niet goed aangepakt,' zei de koningin. 'Ik ga zelf.'

Maar toen de koningin bij de pereboom aankwam, vloog Akkeba juist weg op haar bezemsteel. Met een gierend geluid joeg ze drie maal om het park en verdween. En ze kwam niet meer terug.

Nog nooit had een winter zo lang geduurd.

De koning en de koningin zaten elke dag voor het raam en keken uit naar de lente. Eindelijk, eindelijk was het maart en de trekvogels keerden terug uit het zuiden.

'We zullen ze heel goed behandelen,' zei de koning. 'Alle katten moeten worden verbannen, iedereen moet lief zijn voor lijsters. Er moet voedsel worden gestrooid, er mag niet op lijsters gejaagd worden en iedere man in mijn rijk moet zijn hoed afnemen als hij een lijster tegenkomt. Want het *kan* de prinses zijn.'

Nog nooit waren de lijsters zo goed behandeld als toen. Er kwamen er dan ook steeds meer en steeds meer en ze waren niet schuw, maar zaten in grote groepen te zingen in alle tuintjes en zelfs bij mensen in de keuken.

De koningin liep door de parken en de bossen en de weiden en riep: 'Spikkeltje!' En tegen iedere lijster zei ze: 'Ben jij mijn dochtertje niet?'

Maar de lijsters zongen allemaal hun kleine liedje en al die liedjes waren hetzelfde en nergens nergens was aan te zien welke lijster een prinses was.

In mei kwam er een prins over de grens op zijn witte telganger. Hij keek verbaasd toen hij de duizenden lijsters zag. En toen hij een kleermaker tegenkwam die diep zijn hoed afnam voor een lijster, moest de prins hard lachen.

'Wat gek,' riep hij. 'Moet dat hier?'

'Jazeker,' zei de kleermaker. 'Elke lijster kan onze prinses zijn.' En hij vertelde het verhaal van Spikkeltje en de toverheks Akkeba.

'Heeft ze rode oogjes, die heks?' vroeg de prins.

'Jazeker,' zei de kleermaker. 'En warrig haar.'

'En een kromme lange neus?' vroeg de prins. 'En rijdt ze op een bezemsteel? Dan heb ik haar gezien. Ze woont boven in een appelboom vlak op de grens. Ik zal persoonlijk naar haar toe gaan.'

Toen de prins bij de appelboom aankwam, zat de oude heks Akkeba aan de voet van de boom in het gras en at een enorme appel.

'Peren zijn toch beter,' zei ze. 'Ik verwachtte je al lang, m'n zoon. Je wilt weten hoe je de lijster weer in een prinses verandert, is 't niet?'

'Eerst wil ik weten welke lijster het is,' zei de prins. 'Er zijn er wel een miljoen.'

'Heb je parels bij je?' vroeg de heks.

'Toevallig wel,' zei de prins. 'Een zak vol.'

'Hier heb je een netje,' zei de heks. 'Vang daar je Spikkeltje maar mee.'

'Maar wie van die lijsters is het?' vroeg de prins.

'Denk dat zelf maar eens uit,' zei de heks. 'Ik kan niet alles voor je doen.'

De prins dacht na. Toen kocht hij bij een boer een zakje gerst en ging naar de heuvel waar de lijsters 's avonds in grote getale vergaderden. Hij schudde het zakje gerst leeg op de grond. En een eindje verder schudde hij het zakje parels leeg. Toen ging hij zitten en wachtte af. Alle lijsters kwamen aanvliegen en verdrongen zich om de gerstekorrels. Ze fladderden en vochten en tjilpten. Behalve één. Dat ene vogeltje liet de gerstekorrels liggen en kwam op de parels af. Het bleef er vlak naast zitten en hipte geestdriftig op en neer.

'Jij bent Spikkeltje,' zei de prins. 'Alleen een prinsesje geeft meer om parels dan om eten.' En hij gooide het heksennetje over haar heen. En daar stond plotseling een heel lief meisje voor hem.

Hij zette haar voor zich op zijn paard en samen reden ze naar het paleis, waar de koning en de koningin begonnen te schreien van vreugde.

'Hoe heb je dat voor mekaar gekregen?' vroeg de koningin.

''t Was heel makkelijk,' zei de prins. 'Er was echt niets aan.'

De bruiloft werd gevierd en twaalf lijsters droegen de sleep van de bruid. De oude heks Akkeba leeft weer in de pereboom en nog altijd neemt men in dat land zijn hoed af voor elke lijster. Mocht je er ooit komen, dan zul je het zelf zien en dan begrijp je waarom het zo is.

Ubbeltje van de bakker wil niet slapen gaan

De kindertjes moeten slapen gaan al in hun ledikant,
Klaas Vaak komt op z'n tenen aan en strooit een handvol zand,
en dan doen alle kindertjes meteen hun oogjes dicht,
Klaas Vaak gaat op z'n tenen weg en draait aan het knopje van 't licht.

Maar wie ligt daar wakker?
Ubbeltje van de bakker.

Dat kan toch niet, dat mag toch niet, wat is er toch aan de hand?
Klaas Vaak strooit hele handen vol en bergen vol met zand,
hij heeft nog nooit zo iets beleefd, nog nooit, nog nooit, nog nooit!
Hij heeft z'n hele zak met zand al over haar heen gestrooid.

Maar Ubbeltje van de bakker
blijft wakker!

Dan zingt Klaas Vaak een wiegeliedje: Suja, Suja doe...
Maar of hij nu al liedjes zingt, die oogjes gaan niet toe.
Die Ubbeltje, ze trekt er zich geen sikkepit van an.
Daar zit ze midden in dat zand en maakt er taartjes van.

En blijft maar wakker
Ubbeltje van de bakker

Daar zit ze midden in het zand, het komt tot aan haar nek.
Dan zegt Klaas Vaak: Wat denk je wel? Ik zit hier niet voor gek!
Wanneer jij niet wilt slapen, wel, dan laat ik jou alleen,
dan ga ik maar, dan ga ik maar, dan ga ik nu maar heen.

Blijf dan maar wakker
Ubbeltje van de bakker!

Daar gaat hij, o daar gaat hij, tjee, daar gaat hij werkelijk weg!
Maar dat is toch verschrikkelijk, verschrikkelijk is dat, zeg!
Als kindertjes niet slapen en altijd wakker zijn,
dan worden kindertjes niet groot, dan blijven ze altijd klein.

Blijft Ubbeltje van de bakker
nou altijd wakker?

En zal ze nooit meer slapen gaan en nooit meer kunnen dromen?
Of... zou Klaas Vaak nog wel een keertje bij haar willen komen...?

Wat denk je?

Rekenen op rijm

Zeven zoete zuurtjes in een fles,
maar ééntje rolde in de goot. Nu zijn er nog maar...
Zes zoete zuurtjes. Daar kwam een heel oud wijf,
die heeft er eentje weggepikt. Toen waren er nog...
Vijf zoete zuurtjes. Toen kwam mijn nicht Marie,
die heeft er twee gekregen. Toen waren er nog...

Drie zoete zuurtjes. Toen kwam de kruidenier,
die bracht voor mij een zuurtje mee. Toen waren er weer...
Vier zoete zuurtjes, en toen kwam tante Mien,
die deed zes zuurtjes in de fles. Toen waren het er...

Tien zoete zuurtjes. Ik at ze op, alleen.
Nu is het hele flesje leeg. Nou heb ik er geeneen.

Het beertje Pippeloentje

Kijk, het beertje Pippeloentje
op één slof en op één schoentje.

In het mandje aan z'n pootjes
heeft hij zeven bere-broodjes,

die hij even alle zeven
aan de barones moet geven.

't Is een bere-barones
in een huis met een bordes.

Pippeloentje gaat op weg,
maar daarginder, bij de heg

staat hij op z'n achterpootjes
en *ruikt* even aan de broodjes

voor de bere-barones...
Oei! Nou zijn 't er nog maar zes!

Pippeloentje komt bij 't hek
en, dat is nou toch zo gek,

't is niet helemaal in orde...
want het zijn er vijf geworden!

Kijk, de deur staat op een kier,
maar nou zijn het er nog vier!.

Pippeloen loopt door de gang.
Met een hele dikke wang

loopt hij door de gang, en zie,
nou zijn het er nog maar drie.

Onder aan de trap... o wee,
dan zijn het er nog maar twee...

Boven aan de trap van steen...
kijk, dan is 't er nog maar één.

O, daar zit de barones
met een vork en met een mes

en ze zegt: 'k Heb lang gewacht.
Heb je broodjes meegebracht?

'k Dacht dat ik ze nóóit meer kreeg!
Wat is dat? De mand is *leeg*!

Pippeloentje krijgt een kleur
en loopt heel hard naar de deur

en hij holt de trap weer af
en de deur uit in een draf...

op één slof en op één schoentje.
Kleine stoute Pippeloentje.

De wim-wam reus

In de wilde zwarte bossen woont de wim-wam reus
met de wim-wam oren
en de wim-wam neus.
's Avonds loopt hij daar te darren in de maneschijn
en als hier de kleine kindertjes ondeugend zijn,
kan die reus dat altijd horen
met zijn wim-wam oren,
en als jij niet naar je bedje wil, 't is heus, heus, heus,
kan die reus dat altijd ruiken met zijn wim-wam neus.

En dan komt hij naar beneden op zijn wim-wam paard
met de wim-wam poten en de wim-wam staart,

dwars door alle wilde bossen in galop lop lop,
over honderdduizend heuveltjes van hop hop hop
springt het over alle sloten
met z'n wim-wam poten,
springt hij over alle sloten met een griezelige vaart
en maar zwaaien en maar zwaaien met zijn wim-wam staart!

Pas maar op, pas maar op! voor de wim-wam reus
met de wim-wam oren en de wim-wam neus,
want als *jij* niet naar je bedje wil en *jij* bent stout,
geeft die reus je op je bibs met een lang eind hout!
  En geeneens gewoon hout...
  Nee, nee!
  Wim-wam hout!

Wat is dat, mevrouw Van Gelder?

Wat is dat, mevrouw Van Gelder,
houdt u beren in de kelder?
bruine beren in de kelder van 't perceel?
Als het nou konijntjes waren
of een aantal ooievaren,
maar 't zijn echte bruine beren, en zoveel!

Kijk 's hier, meneer Verhagen,
moet ik u permissie vragen?
Houdt u bij uw eigen zaken, astublief!

Kom vooral geen stap meer nader,
't zijn de beren van mijn vader,
en ik heb ze alle zeven even lief!

Nou, ik kan u dit vertellen:
Ik ga de politie bellen
en de brandweer! En de Generale Staf!
Hoor 's hier, meneer Verhagen,
als u dat probeert te wagen,
stuur ik alle zeven beren op u af!

Als u even hier wilt kommen,
zal 'k ze voor u laten brommen:
Grrrr! Grrrr! Grrrr Grrrr! Hau! Hau! Grrrr!

Hoort u dat, meneer Verhagen?
Hebt u nou nog iets te vragen?
O welnee, mevrouw Van Gelder, nou niet meer...

Goedendag, mevrouw Van Gelder,
wat zijn uw gordijntjes helder,
veel genoegen met de beertjes in uw huis!
Wel, tot ziens, meneer Verhagen,
prettige vakantiedagen,
en de hartelijke groeten bij u thuis.
Grrrrrrr!

Ik ben lekker stout

Ik wil niet meer, ik wil niet meer!
Ik wil geen handjes geven!
Ik wil niet zeggen elke keer:
jawel mevrouw, jawel meneer...
nee, nooit meer in m'n leven!
Ik hou m'n handen op m'n rug
en ik zeg lekker niks terug!

Ik wil geen vieze havermout,
ik wil geen tandjes poetsen!
'k Wil lekker knoeien met het zout,
ik wil niet aardig zijn, maar stout
en van de leuning roetsen
en schipbreuk spelen in de teil
en ik wil spugen op het zeil!

En heel hard stampen in een plas
en dan m'n tong uitsteken
en morsen op m'n nieuwe jas
en ik wil *overmorgen* pas
weer met twee woorden spreken!

En ik wil alles wat niet mag,
de hele dag, de hele dag!

En ik wil op de kanapee
met hele vuile schoenen
en ik wil aldoor gillen: *nee!*
En ik wil met de melkboer mee
en dan het paardje zoenen.
En dat is alles wat ik wil
en als ze kwaad zijn, zeg ik: *bil!*

De olifant, die woord hield

Boven in een boom in Afrika zat de vogel Wok.

Hij zat daar op een groot nest en in dat nest lag een groot, gespikkeld ei. Daar moest een kleine vogel Wok uit komen, maar hij kwam er niet uit. Het duurde zo lang, oei, wat duurde dat lang.

De vogel Wok zat maar te broeden en verveelde zich. Ze telde van een tot tien, en toen terug van tien tot een, dat is moeilijk voor een vogel Wok, en ze vertelde zich zelf verhaaltjes en ze zong een liedje, een echt Wokke-liedje, en nog kwam het ei niet uit. En toen ze daar zeven weken en zeven dagen had gezeten, zei ze: 'Nou is het genoeg geweest. Ik wil een eindje om.' Er kwamen 'n paar leeuwen voorbij, die in de buurt woonden, en vogel Wok riep: 'Hee jongens, wil een van jullie niet eens een poosje op mijn ei zitten?'

'Niks hoor,' zeiden de leeuwen, 'blijf jij daar maar zitten, dank je lekker!'

Vogel Wok zuchtte en bleef maar weer zitten zingen tot er op zekere dag een olifant voorbijkwam.

Het was 'n erg goedige olifant en toen vogel Wok hem vroeg, of hij niet een poosje op het ei wou zitten, zei hij: 'Denk je, dat ik dat kan? Denk je dat die boom het houden zal en zou het ei niet breken?'

'Welnee,' zei vogel Wok. 'We zetten een stutje onder de boom en als je nu een beetje voorzichtig gaat zitten, dan blijft dat ei wel heel.'

'Nu goed dan,' zei de olifant. Er werd een stutje onder de boom gezet, hij hees zich met moeite naar boven en daar zat de olifant boven in de boom, boven op het nest met het Wokke-ei. Vogel Wok sloeg haar vleugels uit en zei: 'tabee!'

Maar ze kwam nog eventjes terugvliegen en riep: 'Zul je op het ei blijven zitten, beloof je me, dat je zult blijven zitten, tot ik terug ben! Ik ga alleen even een eindje om.'

'Ik beloof het,' zei de olifant, en weg vloog vogel Wok.

Daar zat hij nu en het duurde erg lang. Het begon te regenen en te waaien, maar hij had beloofd te zullen blijven zitten, dus hij bleef zitten.

Het hield op met regenen en de zon ging schijnen zo fel, dat de arme olifant het erg heet kreeg en verlangde naar een koel bad in de rivier. Maar hij had beloofd te zullen blijven zitten en dus...

Toen de olifant daar ook zeven dagen gezeten had kwamen er drie jagers aan. Ze hadden geweren bij zich en riepen: 'Kijk, een olifant, schieten, jongens!'

Ze legden hun geweren al aan, maar een van de jagers zei: 'Nee, wacht eens even. Deze olifant zit in een boom, dat is toch wel een beetje gek. Dit is een heel bijzondere olifant, we zullen hem niet doodschieten. We gaan hem vangen.'

Met lieve woordjes en met klontjes probeerden ze de olifant uit de boom te lokken, maar de olifant deed het niet! Hij had beloofd te zullen blijven zitten.

Eindelijk hakten de jagers de boom om en de olifant werd met boom en al op een wagen gehesen en met boom en al op een groot schip gezet. En het schip voer over de zee voor weken en weken en de olifant bleef op zijn nest zitten, want hij had beloofd er niet af te komen.

Toen het schip in Europa aankwam werd de olifant met boom en al op de kade gehesen met grote takels en naar de diergaarde gebracht. Daar zat hij nu en iedereen kwam naar hem kijken, want zo iets was nog nooit vertoond, een olifant op een boom, een olifant die op een ei zat te broeden.

Op een goeie dag kwam er een grote vogel aanvliegen uit het zuiden. Het was vogel Wok. Zij was een eindje omgevlogen, maar het was een groot eind geworden. Het had een beetje te lang geduurd, en opeens had zij zich herinnerd, dat er ergens nog een ei lag met een olifant erop.

Ze was gaan zoeken en zoeken door heel Afrika en toen het

ei in Afrika niet meer was, was ze gaan zoeken, zoeken in heel Europa en eindelijk had ze de diergaarde gevonden met de boom en het nest en het ei en de olifant erbovenop.

'Dank je wel, olifant,' zei vogel Wok. 'Je bent heel braaf en trouw geweest, nu zal ik wel weer eens een poosje op mijn ei zitten.'

Maar die goeiige olifant, die nu al maanden en maanden op het ei had gezeten, werd opeens erg woedend.

'Nee,' zei hij, 'nu is het mijn ei geworden. Ik ga er niet meer af.' Vogel Wok begon heel hard te schreeuwen en ruzie te maken, maar wat zij ook zei, de olifant trok er zich niets van aan en bleef zitten.

En daar opeens, terwijl ze bezig waren ruzie te maken, klonk er een groot gekraak in het nest.

De olifant ging van schrik rechtop zitten, en jawel hoor, het ei kwam uit.

En wat kwam eruit? Geen vogeltje Wok, maar... een heel klein, héél lief olifantje. Met vleugeltjes. 'Zie je wel,' zei de olifant. 'Zie je wel, dat het mijn ei is geworden?'

De oppasser kwam erbij en de directeur van de diergaarde en de burgemeester. Ze kwamen kijken naar het vreemde dier, dat uit het ei was gekomen: een olifantje met vleugels.

Maar iedereen was het erover eens, dat de olifant zó trouw op het nest had gezeten, dat het zijn ei was geworden en dat hij nu zijn vrijheid terug moest hebben in Afrika.

Hij werd op een schip gezet met zijn kleine olifantje en voer terug naar Afrika, waar hij nu nog blij en gelukkig leeft.

De vogel Wok heeft een nieuw ei gelegd en nu past zij goed op, gaat nooit meer een eindje om en wacht heel geduldig tot er een echt vogeltje Wok uit zal komen.

Vingertje-Lik

Er woont een prinsesje, hier heel ver vandaan
met handschoentjes aan, en een manteltje aan,
en schoentjes van goud, en een zilveren strik.
Dat kleine prinsesje heet: Vingertje-Lik.
Is 'Vingertje-Lik' dan een naam voor prinsesjes?
Zo heet ze, omdat ze zo snoept van de besjes,
en van de framboosjes en van de garnalen!
Omdat ze haar vingertje steekt in de schalen,
in iedere pan en in iedere kom,
daarom heet ze Vingertje-Lik, dáárom.
Op eerste Paasdag kwam het kleine prinsesje
om kwart over zeven precies uit haar nestje;
het venster stond open, een vogeltje zong er,
maar Vingertje-Lik had alleen maar weer honger.
Ze wilde niet uit. Ze had lak aan de lente,
want 't rook in de keuken zo heerlijk naar krenten,
naar room en amandeltjes, boter en honing...
Zo ruikt het met Pasen altijd bij een koning.
Er was nog geen mens en de keuken was leeg,
maar daar op de vloer stond een tobbe met deeg.
Kom, eventjes proeven, zei Vingertje-Lik.

Ze klom op de rand en… o jee, wat een schrik!
Daar viel ze pardoes in het taarte-beslag…
die Vingertje-Lik! Och, och, och… Ach, ach, ach!
Haar vader en moeder, dat spreekt vanzelf,
die waren pas op zò om kwart over elf,
ze zeiden direct met veel angst en veel beven:
Waar zou toch ons Vingertje-Lik zijn gebleven?
Ze gingen aan 't zoeken, ze zochten als gekken,
in hoeken en gaten, in alle vertrekken…
Ze zochten de tuin door, tot kwart over twee,
en toen was het tijd voor het grote diner!
Daar kwamen de gasten al: Veertien baronnen
en zeven gravinnen, in kanten japonnen!
Eerst aten ze soep en een Paas-omelet,
en toen werd de taart op de tafel gezet.
De koningin zuchtte maar, elk ogenblik:
Waar zou ze toch wezen? Mijn Vingertje-Lik…
Komaan, zei de koning, het mes er maar in!
U houdt toch van roomtaart, hè lieve gravin?
Toen nam hij het mes om de taart aan te snijden,
maar o, wat een wonder! De taart stond te schreien!
De taart stond te huilen, de taart gaf geluid!
En duidelijk hoorde men: Ik wil eruit!
Ze sneden de taart aan; wat kwam er naar buiten?
Ten eerste een hele stroom tranen. Met tuiten.
Toen kwam er een voetje, dat heuselijk leefde,
en toen het prinsesje, dat vreselijk kleefde.
En iedereen juichte, en ieder stond paf,
toen Vingertje-Lik hun een handje gaf.
Ziezo, zei de koning, en nu tot je straf:
nu lik jij jezelf maar eens helemaal af!

De beer uit Breukelen

Er zijn niet veel beren in Breukelen meer,
Je komt ze niet dikwijls meer tegen.
Er is er nog eentje, een stokoude beer,
Die wandelt daar nog langs de wegen.
Zo 's avonds in 't donker, daar kuiert hij dan,
Die stokoude beer, met zijn bontjasje an.

Een poosje geleden, toen was er een bal
in Breukelen, bij meneer Jansen.
Er speelde een prachtig orkest in de hal
en iedereen was aan het dansen.
Toen sloeg het tien uren en iedereen vroeg:
Waar blijft de baron Van der Hoegeleboeg?

En juist op dat ogenblik, kijk 's, wel wel...
daar kwam net die beer aangelopen.
Hij drukte per ongeluk op de bel.
De huisknecht deed dadelijk open
en schreeuwde gewichtig, zo hard als hij kon:
hier is zijne hoogheid, meneer de baron!!

En iedereen juichte: wees welkom, baron!
De beer werd zo aardig ontvangen.
De gastvrouw riep, in haar satijnen japon:
Zal ik soms uw bontjas ophangen?
De beer stond te brommen. Hij hield daar niet van,
hij schudde zijn kop en de jas hield hij an.

Hij at zeven taartjes en dronk een glas port.
Hij wilde ook één keertje dansen,
toen liep hij de deur uit. Ineens was ie vort!
Wat jammer nou, zei meneer Jansen,
nu gaat hij al weg en het is nog zo vroeg,
die beste baron Van der Hoegeleboeg!

En iedere dame zei tegen haar man:
Kijk zie je, zó schijnt het te horen!
Zo moet het op feesten. Je jas hou je an,
zo'n jas zonder knopen van voren.
Dus denk erom, als je op avondjes komt:
dan hou je je bontjas maar aan. En je bromt!

En de beer? Die zit weer in 't Breukelse Woud.
Hij is het vergeten. Hij is ook zo oud...

De oren van koning Maggelhaan

Moet je horen! Moet je horen!
Koning Maggelhaan z'n oren
groeien en groeien en groeien en groeien
O, ze worden zo groot als koeien,
nee, zo groot als stoomturbines,
nee, zo groot als vliegmachines!
's Morgens vroeg aan het ontbijt
komt Marie, de keukenmeid,
om met grote sterke touwen
die twee oren op te houwen.
Anders vallen ze in de boter,
ach, ze worden al groter en groter,
groter en groter en langer en langer,
en de koning wordt ál banger.

Als hij rijdt in 'n vigilante
steken zijn oren aan beide kanten
uit de ruiten, uit de ruiten,
ja, zijn oren steken erbuiten.
Naast het majesteitelijk bed
zijn twee kasten neergezet,
juist, voor ieder oor een kast,
o, er zit zoveel aan vast.

Als dat nu zo door moet gaan
met die koning Maggelhaan
is er nergens plaats meer voor,
alles zit al vol met oor.
Wie kan zich ermee bemoeien,
dat die oren niet meer groeien?
Niemand? Wel, als dat zo is
gaat het met die koning mis.

De geit van dokter Sanders

De geit van dokter Sanders
is anders, is anders,
is anders van model
dan de geit van dokter Snel,
dan de geit van dokter Snel,
dan de geit van dokter Snellebellebel.

En dokter Sanders zit voor 't raam
en vindt het zeer onaangenaam
en zucht, en kijkt de hele tijd
naar dokter Snellebel z'n geit,
met veel verdriet en droefenis,
omdat zijn geit zo anders is,
en alle mensen staan voor 't hek
en roepen: kijk nou toch wat gek:
de geit van dokter Sanders
is anders, is anders,
heel anders van model
dan de geit van dokter Snel,
dan de geit van dokter Snel,
dan de geit van dokter Snellebellebel.

En dokter Snel aan d' overkant
heeft ook het land, heel erg het land.
Hij knarsetandt en wrokt en huilt:
de geiten moeten maar geruild.
Meteen! zegt dokter Snellebel.
En dokter Sanders zegt: Jawel.
Toen hebben zij het vlug bedisseld
en beide geiten omgewisseld.
Maar veel geholpen heeft het niet,
het is nu nog hetzelfde lied

en alle mensen staan voor 't hek
en roepen: kijk nou toch hoe gek:
de geit van dokter Sanders
is anders, heel anders,
heel anders van model
dan de geit van dokter Snel,
dan de geit van dokter Snel,
dan de geit van dokter Snellebellebel.

Rosalind en de vogel Bisbisbis

Kind, zei de moe van Rosalind,
als jij het thuis niet prettig vindt,
als jij blijft zaniken en blijft morren,
als jij blijft luieren en blijft knorren,
als jij blijft mokken en kniezen en zeuren,
dan zal er nog wel eens iets met je gebeuren!
Wat zal er gebeuren? vroeg Rosalind.
Dat zal ik je zeggen, zei moeder: Kind,
dan komt de vogel Bisbisbis,
waar iedereen zo bang voor is.

Maar ik ben niet bang, zei Rosalind
(ze was een heel ondeugend kind),
ze bleef maar zaniken, bleef maar morren,
ze bleef maar luieren, bleef maar knorren,
ze bleef maar mokken en kniezen en klagen
totdat, op een van de najaarsdagen…
daar kwam de vogel, o, kijk toch 's even!
Daar kwam de vogel door 't luchtruim zweven,
dat was de vogel Bisbisbis,
waar iedereen zo bang voor is.

Hij pakte de vlechtjes van Rosalind,
en vloog ervandoor zo snel als de wind,
en Rosalind ging aan het gillen en schreeuwen
en brulde als zevenentwintig leeuwen,
daar vloog de vogel al boven de huizen.
De mensen beneden hoorden het suizen,
ze keken naar boven en riepen: O, jee,
dat beest neemt zowaar een meisje mee,
dat is de vogel Bisbisbis,
waar iedereen zo bang voor is.

De vogel vloog voort op de noordenwind.
Waar bracht hij het meisje Rosalind?
Hij bracht haar verschrikkelijk ver hiervandaan
naar een eilandje ver in de oceaan,
daar wonen wel duizend kinderen
die altijd en altijd maar hinderen,
die mokken en zeuren en klagen en morren
en luieren, kniezen en drenzen en knorren
en daar, bij die stoute broertjes en zussen,
daar zit nu het meisje Rosalind tussen.
Ze blijft bij de vogel Bisbisbis
totdat ze weer lief en aardig is.

Opgesloten

Er was eens een meisje dat Floddertje heette, omdat ze altijd vuil was en altijd vol met vlekken zat. Behalve als ze pas in het bad was geweest.

Maar nooit kon ze langer dan een half uur schoon blijven.

Om de haverklap moest Floddertje in het bad, samen met haar hondje Smeerkees, dat ook altijd smerig was.

Op een middag, toen Floddertje net uit het bad was, zei haar moeder: 'Kind, over een half uur komt er visite.

Ik weet dat het onmogelijk is om je meer dan een half uur schoon te houden.

En daarom sluit ik je op in je kamertje. Dat vind je zeker wel goed.'

'Dat vind ik helemaal niet goed!' schreeuwde Floddertje.

Maar moeder pakte haar beet en sloot haar op, samen met haar hondje Smeerkees.

Daar zaten ze samen in dat kamertje boven. En ze verveelden zich ontzettend.

Floddertje ging treurig voor het raam staan kijken.

Net op dat ogenblik kwam er een schilder aan, die zijn ladder tegen het huis zette.

Met twee grote potten verf klom hij naar boven. Hij klom langs het raam van Floddertje, steeds verder naar boven. En helemaal boven aan de dakgoot ging hij staan verven.

'Kom mee Smeerkees,' zei Floddertje. 'We kunnen ontsnappen langs de ladder.' Ze deed het raam open, klom naar buiten met het hondje onder haar arm en stapte op de ladder.

De schilder stond boven haar, ook op de ladder, maar hij merkte niets.

En nu naar beneden. Maar Smeerkees vond het eng. Hij spartelde en de ladder begon te wiebelen.

De schilder schrok zo, dat hij een van de potten verf liet vallen.

Floddertje was juist op de tweede tree van de ladder toen ze alle blauwe verf over zich heen kreeg.

En toen de schilder naar beneden keek en een blauw meisje met een blauw hondje zag, schrok hij nog meer en hij liet de andere verfpot ook vallen.

Ditmaal was het rode verf en Floddertje kreeg de volle laag.

Smeerkees kreeg enkel een paar klodders rood op z'n blauwe vachtje.

Daar stond nu een paars meisje op straat met naast zich een rood en blauw gevlekt hondje.

Moeder dacht dat Floddertje nog altijd op haar kamer zat.

Toen er werd gebeld deed ze open en zag een agent op de stoep.

'Is dit misschien uw kind?' vroeg de agent.

'Helemaal niet,' zei moeder. 'Mijn kind zit boven opgesloten. Mijn kind is niet paars. Wat u daar hebt is een afgekloven pruimepit.'

Toen begon Floddertje te huilen en Smeerkees ging janken.

Ineens zag moeder dat het haar dochtertje was met het hondje. Ze greep Floddertje bij haar kraag en Smeerkees bij z'n nekvel en sleurde ze allebei naar de badkamer. Voor deze ene keer liet ze het bad vollopen met terpentijn, want met water en zeep ging de verf er niet af.

Na heel lang schrobben en boenen waren Floddertje en Smeerkees weer schoon en helder.

Maar het bad zag er zó uit.

En moeder zag er zó uit.
En toen kwam de visite. Een dame en een heer.
Het was heel gezellig, dat wel. Maar toen ze weggingen en op straat liepen, zei de dame: 'Is het niet vreemd dat zo'n keurig meisje zo'n vieze moeder heeft?'
'Dat vind ik ook heel vreemd,' zei de heer.

Schuim

'Luister eens Floddertje,' zei moeder. 'Ik ga even boodschappen doen en jij blijft alleen in huis. Je bent net in bad geweest met je hondje Smeerkees. Zorg vooral dat je schoon blijft.

Eet je boterham met jam op. En maak vooral het ontbijtlaken niet vuil. Tot zo meteen.'

Moeder reed weg op de brommer en Floddertje

zei: 'Kom maar op m'n schoot, Smeerkees.'

Het hondje sprong op haar schoot, gaf haar een lik en kwispelde toen met zijn staart de hele boterham van haar bordje af.

Daar lag de boterham met de jam naar beneden op het schone ontbijtlaken.

'Kijk nou wat je doet!' riep Floddertje boos.

Ze veegde het laken af, maar nu zat ook haar jurk onder de jam.

In minder dan geen tijd was alles nog veel viezer.

En zij zelf ook en Smeerkees ook. 'Dan maar weer in het bad,' zei ze.

Floddertjes ouders hadden een hele grote badkamer met een heel groot bad, omdat ze zo'n bijzonder vuil kind hadden.

'Zou één pak wasmiddel genoeg zijn?' vroeg Floddertje. 'Of zal ik ze allemaal nemen?'

In de kast stonden tien super-monster-reuzenpakken wasmiddel.

Floddertje gooide ze alle tien leeg in het bad.

En ze goot er nog vijf flessen vloeibare vaatwas bovenop.

Toen ging ze met al haar kleertjes aan in het bad zitten. Mét Smeerkees en mét het ontbijtlaken. En ze deed de kraan wijd open. O, wat een schuim!

Ze speelden en ze stoeiden en het was erg leuk.

Er kwam wel steeds meer schuim.

En nog meer en nog meer. Het drong in hun oogjes en ze konden niets meer zien.

Floddertje wilde de kraan dichtdoen, maar nu was de hele badkamer vol schuim en ze kon de kraan niet meer vinden.

Angstig deed ze de deur open naar het portaal.

In een oogwenk was het portaal vol schuim. En de trap ook. En de gang beneden en de kamer en de keuken.

'We moeten vluchten,' zei Floddertje en ze holde met Smeerkees de straat op.

Maar ze liet de voordeur openstaan en het schuim kwam ook naar buiten.

Een paar voorbijgangers bleven staan en vroegen: 'Is er iets aan de hand?' Maar op hetzelfde moment werden ze bedolven door een reusachtige vloed van schuim.

'Een schuimvloed!' gilden de mensen.

Sommigen probeerden het huis binnen te dringen om de kraan te sluiten, maar ze deinsden terug.

Enorme vlokken glinsterend schuim bobbelden steeds naar buiten en de hele straat raakte vol.

Alle mensen klommen boven op de geparkeerde auto's.

Floddertje zat met haar hondje op een vrachtauto.

En het schuim kwam hoger en hoger.

Alle straten in de hele buurt raakten onder het schuim.

In een telefooncel stond een man die de brandweer opbelde.

'Help!' riep hij door de telefoon. 'Kom onmiddellijk met alles wat u hebt, brandweer!'

Daarna kon hij de cel niet meer uit.

Het was een glazen huisje in een schuim-oceaan.

Toen moeder terugkeerde op haar brommer vol boodschappen, reed ze in volle vaart het schuim in.

Ze wilde om hulp roepen, maar haar mond zat meteen vol schuim en ze kon enkel nog zeggen: 'gggggggchchch'.

Gelukkig kwam de brandweer loeiend en gierend de hoek om.

Een vol uur lang werd er gespoten met de krachtigste slangen, totdat een dappere brandweerman de kraan in Floddertjes huis dichtdraaide.

Toen eindelijk alle straten waren leeggespoten, zeiden de mensen opgetogen: ‘Zo’n schone stad hebben we nog nooit gehad!’

En moeder spoelde haar mond en zei daarna: 'Het was wel erg stout van je, Floddertje. Maar je bent nog nooit zo schoon geweest. En Smeerkees ook niet.'

Toen kwam de buurvrouw het ontbijtlaken terugbrengen, dat bij haar naar binnen was gespoeld met al het schuim. En het ontbijtlaken was het schoonst van alles.

Floddertje en de bruid

Floddertje kwam uit school.

Er was niemand thuis.

Alleen Smeerkees was er.

'Weet je wat?' zei Floddertje. 'We gaan samen naar het stadhuis. Want vandaag trouwt ons buurmeisje Tine. Ga je mee, Smeerkees? Waar is je lijn?'

Ze zochten samen naar de lijn van Smeerkees. Maar ze konden de lijn nergens vinden.

Toen zag Floddertje vaders schrijfmachine en ze riep: 'Ik weet wat! We nemen het lint van de schrijfmachine.'

In een wip had Floddertje het lint uit de machine gepeuterd.

'Hollen, Smeerkees! Misschien zijn we nog net op tijd om de bruid te zien.'

En jawel hoor! Toen ze bij het stadhuis waren, kwam het bruidspaar juist de trap af.

Smeerkees kende de bruid heel goed. Ze was immers hun buurmeisje Tine?

Hij rende op haar af.

'Hierblijven!' gilde Floddertje.

Maar Smeerkees luisterde niet.
Van blijdschap draaide Smeerkees een paar keer om de bruid heen.
En zo werd het zwarte lint om en om en om de bruid gewikkeld.
En zo'n lint zit vol met inkt!
Daar had je het!
Allemaal zwarte strepen op de witte bruidsjapon.
De bruid wou eerst gaan huilen.

Maar alle mensen riepen: 'Ah! Wat een prachtige bruidsjapon! Zwart met wit! Wat beeldig!'

En toen lachte de bruid weer.

Floddertje had Smeerkees in haar armen. Ze zat nu zelf vol zwarte vegen.

Maar de bruid zei: 'Ga je gauw wassen, Floddertje. Dan mag je op de bruiloft komen.'

Floddertje ging aan haar moeder vragen of het mocht.

En keurig schoon kwam ze aan tafel.

Het was een groot feest.
Floddertje mocht de bruidstaart snijden. En ze maakte zich ontzettend vies.
Maar het hinderde niet.
Het mocht omdat het bruiloft was.

Het fluitketeltje

Meneer is niet thuis en mevrouw is niet thuis,
het keteltje staat op het kolenfornuis,
de hele familie is uit,
en het fluit en het fluit en het fluit: túúúút!

De pan met andijvie zegt: Foei, o, foei!
Hou eindelijk op met dat nare geloei!
Wees eindelijk stil asjeblief,
je lijkt wel een locomotief.

De deftige braadpan met lapjes en zjuu
zegt: Goeie genade, wat krijgen we nu?
Je kunt niet meer sudderen hier,
ik sudder niet meer met plezier!

Het keteltje jammert: Ik hou niet meer op!
Het komt door m'n dop! Het komt door mijn dop!
Ik moet fluiten, zolang als ik kook
en ik kan het niet helpen ook!

Meneer en mevrouw zijn nog altijd niet thuis
en het keteltje staat op het kolenfornuis,
het fluit en het fluit en het fluit.
Wij houden het echt niet meer uit... Jullie?

Spoken in het kasteel

Er staat een kasteel
in Hoenderadeel,
waar spoken zitten.
Soms zijn het er weinig
en dan weer veel,
maar altijd witte.

Soms hoor je zc kermen, soms hoor je ze kreunen, soms zie je
ze tegen een manestraal leunen,
daarginds bij het vijvertje naast de liguster,
en dan zegt de boswachter tegen z'n zuster:
Neel,
het spookt weer op 't kasteel.

Maar eens per kwartaal
gaan ze allemaal
(zo vertelt de gravin)
spontaan uit zich zelf
om kwart over elf
de wasmand in.

En de stoomwasserij
komt per auto voorbij
om de mand te halen.
En de volgende nacht
wordt hij thuisgebracht;
de gravin moet betalen.

En dan hoor je ze 's avonds weer kreunen en piepen.
Je ziet ze weer fladderen tussen de iepen,
daarginds bij het vijvertje naast de liguster,
en dan zegt de boswachter tegen z'n zuster:
Neel,
het zijn er weer veel.
En dan zegt zijn zuster bitter:
Ja, en ze zijn wéér witter.

Pepijn de kat

Wat is dat? Pepijn de kat
gaat uit eten in de stad.
Net als alle echte heren
gaat hij buitenshuis dineren.
Heeft Pepijn de kat dan geld?
Heb ik dat nog niet verteld?
Sssst! Hij heeft het geld geleend
van een Monnikendamse eend.

Kijk, hij gaat een eethuis binnen.
Iedereen zit al te spinnen.
Katten-Concert heet het huis.
Daar eet men gestoofde muis,
en die dikke damespoezen
eten enkel slagroomsoezen.
Wel, Pepijn zegt deftig: Ober,
één diner, maar niet zo sober!

Tja, zegt dan de oberkat,
neemt u eens een sneetje rat!
En vervolgens kabeljauw

met een saus à la miauw.
Het dessert bestelt u later.
Goed, zegt dan Pepijn de kater.
Ach, wat eet Pepijn een boel.
Hijgend zit hij op zijn stoel.

Maar wie daar toen binnenkwam…
't Was de eend uit Monnikendam!
Kijk eens aan, gilt deze eend,
al dat geld van mij geleend,
en maar schransen van mijn centen!
'k Wil mijn geld terug! Met rente!
Maar dan klimt de kat Pepijn
hoetsjepoetsj in het gordijn.

En de eend denkt treurig: Ja,
hem kan ik niet achterna.
Daarom gaat hij met de tram
weer terug naar Monnikendam.

Nu, dit is dan het besluit:
leen nooit geld aan katten uit.

De tijd van elfjes is voorbij

Mijn vader zei, mijn vader zei:
De tijd van elfjes is voorbij.
Ze dartelen niet meer, net als toen,
tussen de bloemetjes van 't plantsoen.
Ze spelen niet meer in het perk
tussen de rozen, bij de kerk,
onder de wilgen van de wei.
De tijd van elfjes is voorbij.
Maar toen ik 's avonds wakker was,
toen scheen de maan zo wit op 't gras.
Een mannetje onder de pereboom
had een wit paard aan een zilveren toom.
Ran plan, flindere flan,
niemand weet er het fijne van.

Mijn moeder zegt, mijn moeder zegt:
Nee, elfjes bestaan niet echt.
Niet in de vijver en niet in de tuin,
niet op het allerhoogste duin.
Enkel in boeken bestaan ze soms,
maar in de boeken staat zoooooveel doms!
's Nachts stond het mannetje bij het hek,
onder die boom op dezelfde plek.
Enkel die nacht was het paard te koop
voor achttien cent en een koperen knoop.
Ran plan, flindere flan,
niemand weet er het fijne van.

Mijn vader sliep, mijn moeder sliep,
toen ik het buitenste hek uit liep.
Ik reed op het witte paard z'n rug
over de heggen en over de brug.

Niemand weet dat ik ginder was
met elfenkindertjes op het gras,
en niemand weet hoe hoog ik heb
geschommeld in een spinneweb,
en niemand weet hoe fijn het is:
spelletjes doen met een hagedis,
en krijgertje spelen met een elf
en hinkelen met de koning zelf.
Ran plan, flindere flan,
niemand weet er het fijne van.

Slim snijdertje fopte dertig zeerovers

Een kleermaker zat boven op zijn tafel te werken. Hij maakte broeken en jassen en zo nu en dan kwam er een klant binnen in het keldertje, waar hij woonde; dan vroeg hij: 'Twee rijen knopen, meneer, en wilt u de jas wijd hebben, of liever aangesloten?'

En zo gingen de dagen voorbij en er gebeurde nooit iets bijzonders, totdat er op zekere dag een heel wonderlijke klant het keldertje binnenstapte.

Hij had een woeste baard, hij droeg een grote oliejas en hij zag er wild en gevaarlijk uit. Met een grove bromstem baste hij: 'Ik wil een jas bestellen. Hij moet woensdagavond klaar zijn. Kan dat?'

'Welzeker, meneer,' zei de kleermaker ijverig.

'Het moet een jas zijn, vol koperen knopen en met zilverborduursel. En ik wil aan iedere kant een zilveren doodshoofd geborduurd hebben. Kan dat?'

'Zeker, meneer,' zei de kleermaker, die graag iets wou verdienen.

'Je krijgt er honderd dukaten voor,' zei de vreemdeling. 'En woensdagavond moet je hem bezorgen. Kom dan om negen uur met de jas naar de Holle Weg. Bij de buiging van die weg staat een wilgeboom. Daar zal ik staan wachten om de jas in ontvangst te nemen. Afgesproken?' De kleermaker knikte bedremmeld, en de vreemdeling draaide zich om en verdween.

Wat zou dat voor een rare snuiter wezen, dacht de kleermaker. Een jas met koperen knopen en zilveren doodshoofden! Enfin, ik zal mijn best doen. En hij ging aan het werk en maakte een prachtige zwarte jas met zoveel koperen knopen en zilverborduursel en doodshoofden, dat het blonk en glinsterde.

En op woensdagavond was de jas klaar en de kleermaker ging met het pak onder zijn arm door de duisternis naar de Holle Weg. Het was donker, maar de maan scheen telkens

even tussen de wolken door. Bij de buiging van de weg, naast de wilgeboom, stond een donkere gedaante. Toen de kleermaker daar aankwam, griste de gedaante het pak uit zijn armen en verdween.

'Wel verdraaid,' zei de kleermaker boos. 'Daar gaat hij met mijn mooie jas. En de honderd dukaten vergeet hij me te geven. Wacht maar, ik zal je krijgen, mannetje.'

En hij glipte tussen het struikgewas de man achterna. Het ging door een wirwar van kronkelpaadjes; ze kwamen in de duinen terecht en de kleermaker volgde de vreemdeling, totdat hij een lichtje zag schijnen aan de voet van een duin. Daar stond tussen doornstruiken en brem een houten huisje. De kleermaker glipte mee het huisje binnen en daar was het me een herrie!

Het was een zeerovershol. Dertig zeerovers zaten daar bij elkaar te schreeuwen en brandewijn te drinken; ze zongen een woest lied, en hieven het glas toen ze de man met het pak onder zijn arm zagen binnenkomen. 'Daar is de jas,' riepen ze. 'Koning Roodbaard, daar is je jas!'

In het algehele tumult zagen ze het kleine kleermakertje

niet, dat schichtig omzag naar een schuilplaats en vlug weg-kroop in een grote, oude staande klok, die in een hoekje stond.

Koning Roodbaard was het hoofd van alle zeerovers. Hij zag er angstaanjagend uit met zijn reusachtige gestalte en zijn rode baard. Hij trok de nieuwe jas aan met de koperen knopen en de zilveren doodshoofden en zag er toen nog griezeliger uit.

Ai, dacht de kleermaker, die vanuit de klok door een kiertje het gezelschap bekeek. Dit is een gevaarlijke beweging. Maar eens opletten wat ze gaan doen.

Koning Roodbaard grijnsde en sprak: 'Mannen, vannacht zal ons schip vertrekken. Ons kapersschip, dat aan de kust ligt. We gaan weer op roof uit, dat is in lang niet gebeurd. Hoera!'

'Hoera!' schreeuwden alle woeste zeerovers met hem mee, en ze begonnen weer te zingen en te brassen, en niemand had er erg in, dat het kleine kleermakertje uit zijn klok kroop en door de deur verdween.

Hij snelde door de duinen naar de zee. En jawel, hoor, daar lag het grote zeeroversschip, met masten en zeilen, klaar om te varen. De kleermaker bedacht zich geen ogenblik, stapte in het roeibootje, dat daar aan het strand lag en roeide naar het kapersschip. Toen hij er vlakbij was gekomen, kapte hij de kabels van het anker en daar gleed het schip over de golven de zee in, zonder bemanning. De kleermaker haastte zich weer terug met zijn bootje, rende weer door de duinen naar het piratenhol en kroop op zijn oude plaatsje in de klok. Alle zee-rovers waren in slaap gevallen, moe van het brassen en zin-gen.

En toen opeens zong de kleermaker vanuit zijn klok een liedje op schrille toon:

'Ik ben het klokkespook en ik zeg:
Koning Roodbaard, je schip is weg!'

De piraten schrokken wakker. Koning Roodbaard stond te luisteren met een dodelijke schrik op zijn woeste gezicht.

Toen stormden zij allemaal het huisje uit, de duinen in.

De kleermaker kwam vlug uit zijn klok en doorzocht het zeeroversh uis. Alles wat van waarde was stopte hij in een grote zak: een kist met dukaten en flessen wijn en hele gerookte hammen. Er was niets meer over dan alleen wat lege glazen.

Toen ging hij naar huis, de slimme kleermaker. Hij hoorde in de verte op het strand de zeerovers nog schreeuwen, maar hij trok er zich niets meer van aan. En hij had nu zoveel dukaten, dat hij zijn leven lang geen broeken en jassen meer hoefde te maken en rustig kon gaan leven.

Het mannetje Fop

Pas toch op voor het mannetje Fop! Wat doet dat mannetje dan?
Hij zet de klokken achteruit, zoveel als hij maar kan,
de klok bij je thuis en de klok van 't stadhuis en de klokken op pleinen en straten,
en niemand, niemand, niemand heeft dat mannetje in de gaten.
Om vijf voor negen 's morgens sluipt hij stiekem door de stegen
en zet de klokken allemaal precies op half negen,
dan denken alle kindertjes: Het is nog niet zo laat,
we kunnen nog wat tollen en wat knikkeren in de straat...
dan denken alle vaders: Kom, nog net een sigaret...
dan denken alle moeders: Kom, ik ga nog wat naar bed...

Opeens zegt dan de radio: *nu is het negen uur!*
O jee, o jee, o jee, wat raakt dan iedereen overstuur!
De vaders gaan aan 't hollen met hun zware aktentassen,

de moeders gaan aan 't draven en vergeten zich te wassen,
de kinderen rennen naar de school en alles komt te laat,
en iedereen is in de war, en iedereen is kwaad.
Alleen het kleine mannetje Fop zit ergens op een kast;
hij zit te gillen van plezier en houdt zijn buikje vast.

Pas toch op voor het mannetje Fop! Wat wil dat mannetje
dan?
Hij vindt het nog niet leuk genoeg. Hij is nog meer van plan.
Maandagnacht (dat zegt hij zelf, het boze mannetje Fop)
dan zet hij alle klokken in de hele wereld stop.
De Friese klok van jullie en de koekoeksklok van ons,
de klokken van kantoren en de klokken van stations,
en ook die van de radio en ook die van de school
en alle klokken van de straat en die van Het Parool...
Dan zeggen alle mensen heel verwonderd en verbaasd:
De tijd is opgehouden, dus we hebben nooit meer haast.
Dan blijven ze maar liggen, alle mensen in het land,
dan rijden er geen treinen meer, dan komt er ook geen krant.

De kinderen gaan niet meer naar school en worden niet gewassen,
de vaders spelen hockey met hun grote aktentassen,
de bakker bakt geen broodjes meer, de auto's houden stop,
en ergens weggedoken zit dat boze mannetje Fop...

Maar zover is het nu nog niet en voor dat kan gebeuren,
moeten we met z'n allen naar het mannetje Fop gaan speuren.
Kijk nog eens in de klerenkast en achter het gordijn;
probeer of jij 'm vinden kan, hij is verschrikkelijk klein,
probeer of jij hem vinden kan, het kleine mannetje Fop,
en sluit hem dan zolang maar in het meterkastje op.

De kippetjes van de koning

O, de kippetjes van de koning zijn zo akelig koket,
altijd ringetjes aan hun tenen en een strik op hun korset,
altijd belletjes in hun oren en een onderjurk van kant,
altijd dribbelen voor de spiegel, altijd even elegant,
altijd eten ze komkommersla en wormen met azijn,
dat is enkel en uitsluitend en alleen maar voor de lijn,
en dan hebben ze zulke mooie roze lakens in hun bed,
o, de kippetjes van de koning zijn zo wuft en zo koket!

O, de kippetjes van de koning zijn zo weinig serieus,
altijd poetsen zij hun veren, altijd poeieren zij hun neus,
kijk, ze dansen met hun zevenen de hollekie-pollekie-dans
met een hollekie-pollekie-buiging, op z'n hollekie-pollekie-frans,
o, wat maken zij een bonje in het koninklijk kippenhok,
alles ruikt naar oodeklonje, en ze willen nooit op stok.
Als er een 'n eitje legt, dan wordt het dadelijk een kneus,
o, de kippetjes van de koning zijn zo weinig serieus!

Maar het hoen van de koster staat apart, boem boem.
En dat hoen is altijd helemaal in 't zwart, boem boem.

En ze heeft het altijd over boete doen.
O, wat somber, o wat somber is dat hoen.
Zusters, zegt zij, jullie leven te mondein!!
Jullie horen braaf en nederig te zijn!!
Alle kippen staan dan met het hoofd gebogen,
alle kippen hebben tranen in de ogen.
Maar wanneer dat hoen dan eindelijk vertrekt, boem boem,
dan… onmiddellijk en dadelijk en direct:

gaan de kippetjes van de koning weer genoeglijk aan de zwier,
en ze drinken kippetjes-cola en ze drinken kippetjes-bier,
en ze dansen met hun zevenen de hollekie-pollekie-dans
met een hollekie-pollekie-buiging, op z'n hollekie-pollekie-frans.

Uit

Het fornuis moet weg!

Er was eens een meisje dat Bert heette. Niet Bertje en niet Bertie, maar alleen Bert. Ze woonde in een dorp met veel tuintjes, waar de mensen elkaar groeten over de heg en waar de vaders elke morgen wegrijden in hun autootje. En waar de moeders thuisblijven en de wasmachine aanzetten als de kinderen naar school zijn.

Bert ging ook naar school en onderweg speelde ze met Jos, een héél verlegen jongen die bijna niets durfde maar toch aardig was.

'Wat willen jullie later worden?' vroeg de juf aan de hele klas.

De jongens zeiden 'piloot' of 'bruggebouwer' of 'ingenieur'.

Enkele meisjes zeiden 'verpleegster', 'kapster', 'schooljuffrouw'. Maar de meeste meisjes zeiden 'huisvrouw' en 'moeder'.

'En jij, Bertie?'

'Ik heet geen Bertie,' zei Bert. 'Ik heet gewoon Bert.'

'Best,' zei de juffrouw. 'Maar wat wil je worden?'

'Timmerman, net als m'n vader.'

'Dat kan niet,' zei juf. 'Een timmerman is een *man*. En jij kunt nooit een man worden.'

'Timmervrouw dan.'

'Dat bestaat niet.'

'Dan ben ik de eerste.'

De kinderen begonnen te lachen, maar Bert was niet bang om uitgelachen te worden. Ze lachte mee en bleef brutaal rondkijken, heel anders dan haar vriendje Jos. Hij durfde nooit iets te zeggen wat gek werd gevonden.

'En jij, wat wil jij later worden, Jos?'

'Ik weet het niet,' zei Jos heel verlegen.

Diezelfde middag kwam Bert bij Jos thuis spelen. Binnen in de huiskamer omdat het regende. Ze had haar poppen meegebracht en haar keukentje. Want potjes en pannetjes vond Jos fijn. Hij bakte graag hele kleine flensjes. En hij kleedde graag poppen aan en uit en maakte er kleertjes voor.

'Jos moet later maar kok worden,' zei z'n moeder. 'Of kleermaker.'

Maar Jos zei: 'Ik wil helemaal geen kok worden. En ook geen kleermaker.'

'Wat dan?' vroeg z'n moeder.

Jos dacht even na. Op school had hij het niet durven zeggen, maar hier thuis durfde hij wel.

'Huisvrouw,' zei hij.

'Dat kan niet,' zei moeder. 'Huisvrouw is een *vrouw*. Jij kunt nooit een vrouw worden.'

'Huisman dan,' zei Jos.

'Dat bestaat niet.'

En nu keek z'n vader even op uit z'n krant en vroeg: 'Wat bedoel je met huisman? Wat wil je dan doen?'

'Wat een huisvrouw doet,' zei Jos. 'Thuis zijn en koken en kleertjes naaien en de was doen en zorgen voor alles wat dichtbij is. Zoals kindertjes.'

'Wou je soms zelf kinderen *krijgen*?' riep z'n vader. 'En wou je ze soms de borst geven? Als je maar weet dat *dat* niet gaat!'

'Dat hoeft ook niet,' zei Jos. 'Ik ben een jongen.'

'Dat zou je anders niet zeggen!' riep vader. 'Met poppen spelen! Flensjes bakken! Bah! En die prachtige, nieuwe oorlogstank die je van Sinterklaas hebt gehad – waar is die? Op zolder staat ie te roesten!'

Jos had niet gedacht dat

z'n vader boos zou worden. Hij begon te huilen en toen werd vader nog veel bozer.

'Vooruit maar! Ook nog huilen! Net als een meisje. Maar één ding zeg ik je: je moet oppassen, Jos, dat je niet *abnormaal* wordt.'

Bert zat te luisteren met grote, verschrikte ogen. Ze pakte haar keukentje en haar poppen in een mandje en ze zei: 'Het regent niet meer, we kunnen buiten spelen.'

In de tuin gingen ze zitten, ieder op een omgekeerde bloempot, want het gras was nat.

'Wat is dat, *abnormaal*?' vroeg Bert.

'Anders dan iedereen,' zei Jos.

'Maar wat hindert dat?' vroeg Bert.

'Het is érger dan anders,' zei Jos. 'Het betekent *ziek*.'

'Ziek? Hoe dan? Met koorts?'

'Nee, ziek in je hoofd, geloof ik.'

'Wat een onzin,' riep Bert. 'Ben jij ziek als je met poppen speelt? En als je graag kookt? En als je huisman wil worden? En als *ik* timmervrouw wil worden, ben ik dan ook ziek?'

'Dat van jou is niet zo erg als dat van mij,' zei Jos. 'Als jij in bomen klimt en je broek scheurt, dan zeggen ze dat je jongensachtig bent. Maar als ik een jurk maak voor jouw pop, dan zeggen ze dat ik abnormaal ben.'

'Zegt iedereen dat?'

'Ik weet het niet,' zei Jos. 'Ik durf er nooit over te praten met andere mensen.'

'Ik wel,' zei Bert. 'We zullen het vragen. Het is vandaag zaterdag. Kom mee!'

'Waar naar toe?'

'Naar het Dorpshuis. Op zaterdag is het Vragenmiddag. Kom.'

'O maar dat durf ik niet,' zei Jos angstig. 'Allemaal grote mensen.'

'Daarom juist. We moeten het toch vragen aan grote mensen? Die weten het.'

ZATERDAG-VRAGENMIDDAG, dat stond aangeplakt op de deur van het Dorpshuis. Het zaaltje zat al vol toen Bert en Jos binnenkwamen. Jazeker, enkel grote mensen. En Jos vond het heel griezelig. Bert moest hem meetrekken langs al die rijen dames en heren, tot ze twee lege stoelen vonden ergens middenin. Gelukkig lette niemand op de twee kinderen want er werden net vragen gesteld.

Op het podium zaten twee mevrouwen en een meneer achter een tafel. Ze hadden bordjes met nummers voor zich:

1

2

3

Die drie bij elkaar waren *het pennel*. En ze gaven antwoord op alle vragen.

Bert en Jos luisterden, maar ze vonden het niet erg spannend. Het ging aldoor over de prijs van het aardgas. En over een nieuw zebrapad. Totdat iedereen alles gevraagd had en mevrouw 2 riep: 'Wie heeft er nog iets?'

Bert stak haar vinger op. Eerst zag niemand het, want ze was nog maar klein.

Maar toen ze opstond en met haar hand zwaaide en schreeuwde: *'Ik...'*, toen werd het heel stil in de zaal.

'Kijk eens aan, *dat* is aar-

dig, kinderen die iets willen vragen,' zei mevrouw 2. 'Jij bent toch Bertje?'

'Niet Bertje,' zei Bert. 'Gewoon Bert.'

'En wat wou je vragen, Bert?'

Bert haalde diep adem en zei: 'Ik wil timmervrouw worden en Jos wil huisman worden. *Kan dat?*'

Het pennel zweeg. En de hele zaal zweeg ook. 't Was zo'n heel andere vraag dan over het aardgas, daarom schrokken ze er een beetje van.

'Zeg het nog eens,' vroeg mevrouw 2.

Bert zei het nog eens, langzaam en duidelijk.

'Aha, ik begrijp het,' zei mevrouw 1. 'En ik wil daar graag antwoord op geven. Je bedoelt dat hij thuisblijft om het huishouden te doen, en dat jij naar je werk gaat om geld te verdienen met timmeren. Of dat *kan*, vraag je.'

'Ja, dat vroeg ik,' zei Bert.

'Wel,' zei mevrouw 1, 'het *zou* wel kunnen, maar het is niet goed, want het hoort niet. De vrouw hoort thuis en de man moet het geld verdienen. Zo hoort het.'

'Maar waarom hoort het zo?' vroeg Bert.

'Omdat het altijd zo geweest is.'

'En waarom kan het niet veranderen?'

'Omdat God het zo gewild heeft,' zei mevrouw 1. 'Hij heeft de man en de vrouw geschapen, hem om te werken en haar om te zorgen. Hij heeft ze ieder een taak gegeven. Een taak voor de man, een taak voor de vrouw. Zo is het en zo moet het blijven.'

'Is God ook een man?' vroeg Bert.

'God is geen mens,' zei mevrouw 1. 'God is het Opperwezen. En wat het Opperwezen wil, dat moeten wij doen.' Mevrouw 1 werd een beetje rood in haar gezicht, ze stak haar wijsvinger op en zei: 'We moeten gehoorzamen aan Gods wil. De man heeft zijn taak, de vrouw heeft haar taak. Wij mogen daar niets aan veranderen. Begrijp je dat?'

'J-j-j-j-a-a-a,' zei Bert weifelend.

'Goed, dan gaan we verder. Wie heeft er nog vragen?'

'Wacht even, wacht even,' zei meneer 3. 'Ik ben het er niet helemaal mee eens. Mag ik ook iets zeggen?'

'Natuurlijk,' zei mevrouw 2. 'Daar zitten we hier toch voor.'

'Nou kijk,' zei meneer 3. 'Niet alle mensen geloven in de wil van het Opperwezen. Ik zie het bij voorbeeld heel anders. Mag ik dat even uitleggen?'

'Welzeker, gaat uw gang.'

'Heel vroeger,' zei meneer 3, 'zo'n honderdduizend jaar geleden, waren de mensen nog wild. Ze woonden in holen en jaagden op mammoeten en oerossen. Dat jagen deden de mannen. De vrouwen bleven in het hol en zorgden voor de kinderen. En *nog* veel langer geleden, een miljoen jaar geleden, waren de mensen nog wilder, ze leken erg op apen. We weten nu ook dat mensen afstammen van een bepaald soort roofapen. Daar zijn we het allemaal over eens.'

Maar nu begon mevrouw 1 met haar hoofd te schudden. '*Ik* ben het er helemaal niet mee eens,' riep ze. 'Ik weet zeker dat we van Adam en Eva afstammen. En niet van de apen. En bovendien heeft dit allemaal niets te maken met de vraag van dat meisje.'

'Jawel!' zei meneer 3. 'Als ik even mag doorgaan.'

'Gaat u door,' zei mevrouw 2. 'Het is erg interessant.'

‘Die roofapen,’ zei meneer 3, ‘leefden in groepen. Bij zo’n groep apen was *een* leider. Dat was de opperaap. Hij was de baas. Onder hem waren allemaal lagere apen. Maar alle vrouwtjes waren ondergeschikt aan de mannetjes en iedereen was ondergeschikt aan de opperaap.’

‘Hoe interessant,’ zei mevrouw 2.

‘Ik vind het schande!’ riep een meneer in de zaal. ‘Hij moet ophouden!’

‘Nee, laat ’m doorgaan!’ riep een dame.

Meneer 3 ging door: ‘Zoals ik zei waren de vrouwtjes ondergeschikt, maar je moet niet denken dat het zielige schepseltjes waren. Op *hun* manier waren ze ook de baas. Want ze hadden hun sex. En dat was *hun* wapen.’

‘Hoor dat toch eens!’ riep mevrouw 1. ‘Die kinderen weten niet wat sex is. En ze hoeven het ook niet te weten.’

‘Ik zal het uitleggen,’ zei meneer 3. ‘Die wijfjes wiebelden met hun achterste, draaiden met hun gatje, zoals je grote meisjes ook ziet doen, weet je wel, zodat alle mannen gaan fluiten of oehoe roepen.’

‘Ja, zoals m’n zuster,’ zei Jos, blij omdat hij het begreep.

‘Precies. En daarmee konden ze alles van die mannetjes gedaan krijgen. Zo kregen altijd hun zin. De mannetjes hadden de macht, dat is waar. Maar de vrouwtjes hadden hun eigen soort macht. Hij ging uit om te jagen, zij bleef dicht bij de kindertjes. En dat is altijd zo gebleven. Hij ging later uit om steden te bouwen en om alles

uit te vinden wat ronkt en bromt en knalt. En de vrouw zei: "Goed, doe dat maar. Het mag allemaal, als je maar van *mijn* macht afblijft, want *ik* ben de baas over het huis en over het eten, en over de baby. En óók nog over jou," voegde ze er zachtjes aan toe. Hij had het toch gehoord en riep woedend: "*Niet* over mij, wat denk je wel!" Maar dan wiebelde en draaide het vrouwtje weer zo aardig met haar kontje en hij gaf toe.'

'Dit wordt te gek!' schreeuwde mevrouw 1. 'En dat nog wel tegenover die onschuldige kinderen.'

'Laat meneer even uitpraten,' zei mevrouw 2.

'Goed,' zei meneer 3, 'ik ben bijna klaar. Ik wou alleen maar zeggen, het zit in de aard van het beestje. Het zal nooit veranderen. De man heeft *zijn* soort macht, en de vrouw heeft *haar* soort macht. Dat is de natuur.'

Meneer 3 werd rood in het gezicht en hief z'n wijsvinger omhoog. 'De natuur is nooit te veranderen,' riep hij. 'En het begon allemaal met de opperaap. En niet met het Opperwezen.'

Mevrouw 1 begon nu woedend te praten, maar meneer 3 praatte er hard doorheen, terwijl mevrouw 2 met de hamer op tafel sloeg en aldoor riep: 'Laten we redelijk blijven... het meisje wil nog wat vragen.'

Nu zagen ze dat Bert weer met haar handje zwaaide.

Iedereen zweeg om te horen wat ze te vragen had. Ze had nu ook een kleur van verlegenheid maar toch vroeg ze: 'Het lijkt een beetje op mekaar. Is het Opperwezen dan misschien hetzelfde als de opperaap?

'Daar heb je 't nou!' riep mevrouw 1. 'Dat komt van al die smerige praatjes over afstammen van apen. Foei!'

'Wat ik verteld heb is allemaal waar,' zei meneer 3.

'Nee, wat *ik* zeg is waar,' zei mevrouw 1. 'Want het staat Geschreven!'

'Wat *ik* zeg is waar,' zei meneer 3. 'Want het staat Gedrukt! En dus is het nog waarder.'

Nu kwam er een ongelofelijk tumult in de zaal. Sommige mensen waren het eens met mevrouw 1, andere met meneer 3. Er werd gefloten en boe geroepen en geschreeuwd en geklapt en gelachen... Mensen klommen op tafels. Er werd gestompt. En nu stonden er een paar met opgeheven stoelen in hun hand, waar ze mee zwaaiden en sloegen. Het was vreselijk. En dat allemaal om die ene vraag van Bert, die toevallig *niet* over het aardgas ging.

'Kalmte! Stilte alstublieft!' gilde mevrouw 2. 'Nu wil *ik* iets zeggen.'

Ze hamerde zo hard, dat de mensen kalmer werden en gingen zitten.

'Ik wil *dit* zeggen,' zei mevrouw 2. 'Uiteindelijk gaat het om de vraag van dit meisje: "Een timmervrouw en een huisman, *kan dat?*" En uiteindelijk is het antwoord van het pennel: *"Nee,* dat *kan niet."* De een zegt: "Het is tegen Gods wil", de ander zegt: "Het is tegen de natuur." De een zegt: "Ieder heeft z'n *taak.*" De ander zegt: "Ieder heeft zijn *macht.*" Maar het komt op hetzelfde neer voor deze twee kinderen. Het antwoord is *neen.*'

Er kwam een verbaasd gemompel in de zaal. Ze had gelijk, mevrouw 2. Eigenlijk kwam het op hetzelfde neer, wat het antwoord betrof dan. Niemand had meer iets te vragen, iedereen ging naar huis in kleine groepjes en druk napratend over de vreemde middag.

Bert en Jos waren de laatsten. Ze liepen langzaam en ze zeiden niet veel. Erg tevreden waren ze niet. Toen ze

over de Kleiweg sloften met gebogen hoofdjes, hoorden ze eerst helemaal niet dat ze geroepen werden.

'Hee! Hallo! Jos! Bert!'

Nu hoorden ze het. Ze stonden voor het oude boerderijtje waar tante Vink woonde. Tante Vink stond in de deur van haar schuur aan een groot ding te sjorren. Een roestig, ijzeren ding. Ze zat vol zwarte vegen.

'Help 's even,' hijgde ze. 'Dat kreng moet op de handkar en 't is zo zwaar.'

Jos en Bert hielpen. Het was een oud keukenfornuis. Ze trokken en tilden en kantelden, tot het ding uiteindelijk op de handkar stond.

'Goed dat jullie net langs kwamen,' zei tante Vink. 'Nu zijn jullie ook zwart. Straks gaan we ons wassen, maar laten we eerst appelsap drinken, dat hebben we verdiend.'

Ze zaten op het bankje buiten appelsap te drinken en keken naar het fornuis.

'Je mag me straks ook nog helpen om het naar de antiekwinkel te rijden,' zei tante Vink. 'Want daar willen ze het hebben. Toen ik hier kwam wonen, stond het in de keuken. Ik heb het in de schuur gezet, maar ook daar staat het in de weg. Die grote wasketel hoort erbij. Niemand heeft er iets aan. Zo'n oud fornuis. Zeker zestig jaar oud. Bij dat fornuis hoorde een vrouw. Ik denk dat ze al lang dood is. Jazeker, die vrouw hoorde bij het fornuis en bij die wasketel. Ze moest wassen voor het hele gezin: een man en veertien kinderen. Stapels hemden en borstrokken en lakens. En

geen wasautomaat. En geen waterleiding, maar een pomp. En zelf kolen scheppen. En zelf bonen plukken en aardappelen rooien. Nog geen supermarkt met diepvries-pakjes. Wat een leven om bij een fornuis te horen. Bedenk dan eens, Bertje...'

'Geen Bertje, gewoon Bert graag.'

'Okee, Bert, bedenk eens hoe makkelijk jouw moeder het heeft tegenwoordig. 's Morgens is ze binnen het uur klaar met alles. En dan kan ze verder doen wat ze graag wil.'

'Ja,' zei Bert. Maar zo erg goed had ze niet geluisterd, want ze was nog met haar gedachten bij de Vragenmiddag in het Dorpshuis.

En deze keer was het Jos die begon te praten. 'We zijn iets wezen vragen,' zei hij. 'En we hebben ook antwoord gekregen.'

'Vertel eens gauw,' zei tante Vink. 'Ik ben dol op vragen en antwoorden.'

Bert en Jos vertelden alles wat er gebeurd was.

'Mevrouw 1 zei dat het lag aan het Opperwezen,' zei Bert.

'En meneer 3 zei dat het kwam door de opperaap,' zei Jos.

'Maar het antwoord kwam op 't zelfde neer van allebei,' zei Bert. 'Timmervrouw en huisman, dat *kan* niet. Of misschien zou het wel kunnen, maar het is niet gewoon, het hoort niet, het is abnormaal. Het moet blijven zoals het is. En het kan nooit veranderen. Denk je dat ook, tante Vink?'

'Tja...' zei tante Vink zenuwachtig. Ze krabde op

haar hoofd en kreeg weer een grote veeg roet over haar neus. 'Tja...' zei ze nog eens. 'Ik ben niet erg geleerd, dat weet je. Maar als we er met ons drieën over denken en praten, dan moeten we er toch uit komen.'

Ze dronken nog een glas appelsap en dachten diep na.

'Dat verhaal van de opperaap,' zei tante Vink, 'daar voel ik wel wat voor. Het is wat moderner. En ik kan er beter bij. En dat van die macht, dat kan ik ook begrijpen. Ieder z'n eigen soort macht, jazeker, daar zit wat in. En dat van de natuur... 't is de natuur... en 't zit in de aard van 't beestje... waarachtig, ik geloof dat die meneer 3 gelijk had.'

'En 't kan dus nooit veranderen?' vroeg Jos. 'De man zal nooit thuisblijven om te zorgen voor wat dichtbij is? En de vrouw zal nooit steden bouwen en alles uitvinden wat ronkt en bromt en knalt? Het zal nooit veranderen?'

'Wacht 's even... wacht 's even...' riep tante Vink. 'Wat een sufferds zijn we toch. Het staat vlak voor ons neus en we zien het niet!'

'Wat dan?'

'Het fornuis! Je vraagt of het nooit zal veranderen. Nou, het *is* al veranderd. Kijk maar naar dat fornuis. Bij dat fornuis hoort geen vrouw meer, die vrouw is dood. Het ding gaat naar de antiekwinkel en de wasketel ook. Ze dienen nergens meer toe. De vrouwen van nu hebben hun handen vrij. Ze kunnen doen wat ze willen, ze kunnen timmervrouw worden en toch trouwen en kinderen krijgen, en het hoeven er geen veertien te zijn, want ze hebben de pil.'

'En de man?' vroeg Jos. 'Is die ook vrij om te doen wat hij wil?'

'Ja waarom niet? Hij kan doorgaan met steden bouwen en alles uitvinden wat ronkt en bromt en knalt. *Maar* we weten allemaal dat er al *te veel* steden zijn en dat er *veel te veel* is wat ronkt en bromt en knalt. En dat er veel te weinig zorg is voor *dichtbij*. En dus, het *is* al veranderd. Hoera. Dat is het antwoord. Kom, laten we ons gaan wassen.'

Maar Jos stond niet op.

'Ik geloof het niet,' zei hij. 'Je zegt dat het al veranderd *is*. Hoe komt het dan dat alle vrouwen toch thuisblijven om te zorgen voor wat dichtbij is. En dat alle mannen uitgaan om geld te verdienen en te werken? Nog altijd en nog overal?'

'Oei!' zei tante Vink en ze beet op haar nagels. Weer een veeg op haar wang.

'Oei oei... Je hebt gelijk. Het is veranderd. En toch is het niet veranderd. Hoe kan dat nou? Laten we maar weer eens nadenken.'

Ze dronken nog meer appelsap en dachten nog meer na.

Toen vroeg Bert: 'Macht, dat betekent de baas zijn?'

'Ja, zo ongeveer.'

'Of betekent het, je zin krijgen?'

' 't Is zo'n beetje hetzelfde,' zei tante Vink. 'Je krijgt je zin, als je de baas speelt.'

'Ik begreep het best,' zei Jos. 'Wat meneer 3 zei. Dat het vrouwtje haar eigen macht wil houden en het mannetje ook. En daarom willen ze het geen van beiden veranderen.'

Ineens stond tante Vink op en begon heen en weer te lopen. 'Je moet me toch eens vertellen...' zei ze. 'Toen mevrouw 1 het had over Gods wil, en toen meneer 3 het had over de wet van de natuur..., staken ze toen hun wijsvinger op? En werden ze rood?'

'Ja, ja,' riep Bert.

'Daar heb je 't,' zei tante Vink.

'Hoezo dan?'

'Wel, mevrouw 1 is een

vrouw. En meneer 3 is een man. Zij willen óók ieder hun eigen macht houden. En dus willen ze alles laten zoals het is en niets veranderen, anders raken ze hun macht kwijt. En let maar eens op! Als mensen hun macht willen houden, dan steken ze hun wijsvinger op en ze worden rood. Zeiden ze soms: "Het staat geschreven"?'

'Ja,' zei Jos. "Het staat geschreven." En de meneer zei: "Het staat gedrukt!"

'Precies,' zei tante Vink. 'Daar zit het. Altijd als mensen bang zijn om hun macht te verliezen, komen ze met een heleboel *woorden*, geschreven of gedrukte *woorden*. En ze roepen: "Kijk maar, het staat geschreven." Of: "Kijk maar, het staat gedrukt." Denk maar eens aan de slaventijd van honderd jaar geleden. Toen er zwarte mensen op de markt werden verkocht, net als koeien. Toen riepen de machthebbers: "Dat mogen we doen, het staat geschreven dat het mag." En ze wezen op woorden. Maar in werkelijkheid wilden ze hun macht houden.'

'Ja,' zei Bert met een zucht. 'Maar het is allemaal zo ingewikkeld en zo moeilijk wat je nou zegt. En alles wat wij willen is timmervrouw en huisman worden. Heel gewoon.'

'Aha,' zei tante Vink. 'Natuurlijk, *dat* is het. Heel gewoon. Waarom doe je het dan niet? Heel gewoon.'

'Omdat...' zei Jos, 'omdat het abnormaal is.'

'Abnormaal is óók een woord,' zei tante Vink. 'Je moet niet bang zijn voor een woord. Als het ding zelf maar gewoon is. En dat is het. Waarom zou een jongen geen huisman mogen worden en alles doen wat hij fijn vindt en voor alles zorgen wat dichtbij is. En waarom zou een vrouw niet de deur uit mogen gaan om geld te verdienen en timmervrouw te worden? Is daar nog een reden voor te bedenken? Kunnen jullie een reden bedenken waarom dat niet zou mogen?'

Ze dachten na.

'Nee,' zei Bert.

'Nee,' zei Jos.

'Ik ook niet,' zei tante Vink. 'Er *is* geen reden. En nu weten jullie het. Al is het nog niet veranderd, het zal veranderen. Jullie gaan het veranderen. Want gelukkig zijn jullie geen apen meer, maar mensen. Apen veranderen niets. Maar een mens kan de dingen veranderen. En laten we nu alle drie onder de douche gaan, voordat we het fornuis wegbrengen naar de antiekwinkel.'

En dat deden ze.

Drie kouwelijke mussen

Op weg naar Hoenderloo
daar staat een boerenschuur,
met ouwe boerendeuren en
een ouwe boerenmuur,
een boerendak, een boerengoot
en net precies daartussen,
daar zaten eens drie hele, hele,
kouwelijke mussen.
De zon was weg en bleef ook weg
en kwam ook niet weerom.
De hagel viel van rikketik
en rommelebommelebom.

Toen zeiden de drie mussen
heel verdrietig tot elkaar:
Waar zou nu toch de zwaluw zijn?
Waar is de ooievaar?
Waar zou de kievit wezen
en waar bleef ineens de specht?
Ze hebben ons niet eens
behoorlijk goeiendag gezegd.

Woef, woef, riep toen de boerenhond
zo hard als hij maar kon,
die vogels trekken 's winters weg
naar 't zuiden, naar de zon.
Zo, zeiden toen die hele, hele,
kouwelijke mussen,
wij willen ook wel weg.

Op welke uren gaan de bussen?
Ach sukkels, zei de boerenhond,
doen jullie niet zo gek.
Doe net als andere vogels doen
en trek en trek en trek!

Toen namen zij hun schoentjes
en hun petjes en hun sjaaltjes
en trokken langs de wegen
en ze telden alle paaltjes,
ze telden alle paaltjes en
het waren er wel honderd.
Toen zeiden de drie mussen
heel bedroefd en erg verwonderd:
We zijn al honderd paaltjes ver en
't is nog altijd koud.
Zeg, zijn we op de goeie weg?
of lopen we nu fout?

Toen kwamen zij in Umselo,
daar stond een boerenschuur
met ouwe boerendeuren en
een ouwe boerenmuur,
een boerendak, een boerengoot
en net precies daartussen
daar kropen de drie hele, hele,
kouwelijke mussen.

Ze zeggen: verder gaan we niet,
al zal het hier wel lekken.
We hebben trek in zonneschijn
maar echt geen trek in trekken.

Meneer Van Kizzebizzer

Ting, ting, daar gaat de bel, bij meneer Van Kizzebizzer.
Ting, ting, daar gaat de bel, en hij ligt nog in zijn bed.
Hij kijkt eens uit het venster en zegt slaperig: Wat is er?
Daar staat de post en zegt: Meneer, ik heb hier een pakket.

’t Is franco en het loopt vanzelf en ’t komt uit Pipapete!
Zo, zegt meneer Van Kizzebizzer. En, wat zit erin?
Ik weet het niet, zegt de post. Meneer, hoe kan ik dat nu weten?
Ik kijk nooit in pakketten, hoor, dat is me veel te min.

O, zegt meneer Van Kizzebizzer. Wel, uit Pipapete?
Dan is het dus waarschijnlijk een cadeau van tante Kee.
Wat aardig, zeg, ze heeft ons dus nog altijd niet vergeten.
Wat zou er in dat pakje zitten? Wacht, ik kom benee.

’t Is altijd leuk om wat te krijgen, tjonge, wat plezierig...
Dat pakje heeft twee staarten, zeg, een staart aan ied’re kant.
En nu gauw dat papier eraf, ik ben toch zo nieuwsgierig!
O kijk toch eens, o, kijk toch eens, het is een olifant!

’t Is leuk, maar wel wat moeilijk, hè? Wij wonen niet parterre...
Nee, zei mevrouw Van Kizzebizzer, en waar moet hij staan?
Hij kan niet in de erker en hij kan niet in de serre.
Och, zei meneer Van Kizzebizzer, och, het zal wel gaan.

We vinden wel een plaats voor hem, wat vroeger of wat later.
Ik zet vandaag gewoon een advertentie in de krant:
Gevraagd een ruime kamer, liefst voorzien van stromend water,
een kamer op het zuiden voor een nette olifant.

Dus als je in de krant kijkt, wel, dan zul je het wel lezen.
Je ziet een advertentie staan, dan weet je weer: O, ja,
Da’s van meneer Van Kizzebizzer, ja, dat zal het wezen:
Een k. voor een nette olif. b.b.h.h.

De tand

O wat een toestand met Jan van den Bos:
z'n tandje zat los, ja, z'n tandje zat los!
Het wiebelde wiebelde wiebelde maar –
en pijn deed het niet, maar 't gevoel was zo naar.
Hij durfde niet eten, hij zat op de grond
met een woedend gezicht en z'n hand voor z'n mond.

Moeder zei: Hoor 's, dat kan zo niet, Jantje.
We binden gewoonweg een draad aan het tandje
en 't andere eind van de draad aan de deur.
Dan doen we de deur dicht en uit is 't gezeur!

Nee! jammerde Jantje, nee moeder, niet doen!
En weg holde Jan, heel hard naar 't plantsoen.
Hij rende en rende – en keek nog 's om –
hij viel op z'n neus en daar lag ie dan – BOM!
Hij krabbelde dadelijk weer op de been
en veegde zijn bloes af en keek om zich heen.
En wat lag daar naast hem, gewoon in het zand?

De tand!

En Jan ging naar huis, heeft z'n mond gespoeld
en zei tegen moeder: Ik heb *niks* gevoeld.
En moeder zei: 'Fijn' en bekeek 'm een poosje
en deed toen de tand in een lucifersdoosje.

En toen hij op school kwam, moest iedereen kijken.
De juffrouw en Peter, en Kees en Marijke.
Kijk nou toch 's, Joris, kijk nou toch 's, Joosje!
Een gat in mijn mond en een tand in m'n doosje.

Roel-met-gevoel

'Nu ons zoontje is geboren,' zei de koningin, 'zullen we een groot doopfeest houden.'

'Heel goed, liefste,' zei de koning. 'Als je tante Oena maar weglaat.'

'Waarom?' vroeg de koningin. 'Tante Oena zou woedend zijn als we haar geen uitnodiging stuurden. Denk erom dat ze toverkracht heeft!'

'Daar ben ik juist zo bang voor,' zuchtte de koning. 'Stel je voor dat ze een wens uitspreekt bij de wieg. En stel je voor dat het een boze wens is.'

'Kom kom,' zei de koningin. 'Tante Oena houdt van ons. Ze zal ons kindje enkel het goede wensen.'

Het doopfeest werd gehouden in de tuin. Alle fonteinen spoten rozenwater en er brandden zesduizend blauwe gloeilampjes tussen de jasmijn. Hertoginnen en vorsten met gouden kroontjes verdrongen zich om de wieg en streelden het hoofdje van de baby. Het laatst kwam tante Oena.

Zij was een machtige vrouw, groot en dik, helemaal in het paars gekleed met een toren van rood haar op haar hoofd. Ze keek in de wieg en zei: 'Wat een snoeperig kind. Kan ik jullie plezier doen met een wens? Wat hadden jullie gehad willen hebben?'

Het werd doodstil in de tuin. Alle gasten hielden hun adem in en wachtten vol spanning af wat de vader en moeder zouden wensen.

De koning schraapte zijn keel en begon: 'Ik zou graag willen dat de prins heel sterk wordt en heel moedig. En heel rijk...' voegde hij er snel aan toe.

De koningin keek om zich heen naar alle hoge gasten en zei: 'Wacht even, tante Oena, ik ben het daar niet mee eens. We zouden veel liever willen dat ons kind een goed hartje had. Is het niet zo, lieve man?'

'Hm...' bromde de koning. Ook hij keek om zich heen en toen hij zag dat iedereen geestdriftig knikte, zei hij: 'Wel, inderdaad, natuurlijk, jazeker.'

'En daarom...' sprak de koningin met ontroerde stem, 'daarom lieve tante Oena, maak mijn zoontje een goed mens. Zo goed dat hij meer aan anderen denkt dan aan zich zelf. Zo nobel dat hij treurt als er iemand anders treurt, 't zij mens of dier.'

Er ging een gemompel van bewondering door het hele gezelschap. Wat een prachtige wens!

Tante Oena plukte een takje jasmijn af en zwaaide ermee boven het kleine prinsenhoofd. 'Prins Roel zul je heten,' zei ze. 'En je zult zijn zoals je moeder je hebben wou. Roel-met-gevoel.'

Toen danste tante Oena de polka met de koning; de fonteinen spoten nu champagne, behalve twee die cola spoten, en het werd een verrukkelijk feest. Na afloop mochten alle gasten de neushoorn-tuin bekijken, een park waar honderden neushoorns achter tralies liepen. Daarmee was het festijn afgelopen.

Het was spoedig merkbaar dat de wens van tante Oena geholpen had. Want toen prins Roel opgroeide, bleek hij wel een bijzonder goed kind te zijn. Hij gaf al zijn speelgoed weg, zodat hij zelf nooit iets overhield. Telkens kreeg hij nieuwe hobbelpaarden, nieuwe rolschaatsen en nieuwe spoortreinen, maar nog voor hij er zelf mee gespeeld had, zei hij: 'Laten we het weggeven aan Pietje van de kolenboer.'

'Maar jongen, wil je er dan niet eventjes zelf mee spelen?' vroeg de koning.

'Nee,' zei de prins. 'Ik heb voor me zelf niets nodig.'

'Ik vind het onnatuurlijk,' zei de koning tot zijn vrouw.

'Integendeel, het is heerlijk,' zei de koningin. 'Mijn lieve Roel-met-gevoel!'

Het was wel jammer dat Roel zoveel huilde. Soms zat hij uren te snikken en als de hofdames vroegen: 'Wat scheelt eraan, doorluchtigheid?', dan antwoordde de prins: 'Ik huil, omdat de vrouw van de kleermaker hernia heeft.' Of hij zei: 'Ik huil, omdat er arme kinderen zijn die nog nooit kreeft hebben gegeten.' Of hij zei: 'Wat vreselijk dat er oude mensen bestaan.'

Er werd besloten om alle arme, zieke en oude mensen zover mogelijk van de prins vandaan te houden. Ze werden naar een uithoek van het koninkrijk gebracht en daar zaten ze op een kluitje. De prins zag dus niets van hun ellende en dat was een hele rust. Maar helaas... er bleef nog altijd genoeg te huilen over. Hij huilde, omdat de kamerheer een lintworm had. En toen de dokter kwam om de kamerheer te genezen, toen huilde de prins, omdat de arme lintworm eraan was doodgegaan.

Voortaan was het streng verboden aan het hof om te klagen of treurig te kijken. Men had de plicht gelukkig te zijn en altijd te huppelen. En dat viel niet mee. Op een keer ontmoette Roel de kok in een van de gangen.

'Wat scheelt eraan?' vroeg hij. 'Je kijkt zo sip, kok.'

'Mij scheelt niets,' zei de kok haastig en deed drie huppelpasjes. 'Ik ben heel gelukkig, ha ha!'

'Niet waar,' zei de prins. 'Er *is* iets. Zeg me dadelijk wat er is.'

'Ach,' zei de kok. 'Ik ben wat somber gestemd, omdat mijn

dochter zo lelijk is.'

'Lelijk? Hoezo lelijk?' vroeg de prins.

'Wipneus,' zei de kok. 'Peenhaar en *zulke* voeten.' Hij wees *hoe* groot. 'Ze krijgt dus nooit een man, want niemand wil zo'n lelijk meisje. Ze heet Iezebel.'

'Breng haar dadelijk hier,' zei Roel, 'dan trouw *ik* met haar.'

De kok durfde niet tegensporrelen en hij haalde zijn dochter. Nou, lelijk was ze met haar wipneus, peenhaar en grote voeten, maar de prins trouwde de volgende dag met haar. Dat was voor de oude koning en koningin wel een slag; ze kwamen er niet meer overheen, kwijnden weg en stierven samen op één dag.

En nu was Roel-met-gevoel dus zelf koning. Hij zat op de troon met naast zich koningin Iezebel. En dit moet gezegd worden: ze was dan wel lelijk, maar ook erg lief en verstandig en ze zag al heel gauw dat haar man een raar soort koning was.

Om te beginnen ging hij op reis in zijn koets en toen hij terug kwam was zijn hermelijnen jas doorweekt van tranen.

'Wat is er? Waarom huil je zo?' vroeg de koningin.

'O,' zei de nieuwe koning. 'Wat een ellende overal. Ik zag een uithoek van ons land waar alle oude, zieke en arme mensen te zamen zitten.'

'En wat heb je daaraan gedaan?' vroeg de koningin.

'Niets,' zei koning Roel. 'Ik moest zo vreselijk huilen, ik kon niets doen.'

'Aan tranen hebben ze niet veel,' zei Iezebel. 'Had je ze niet beter kunnen helpen?'

'O, maar ik heb een heleboel gedaan hoor,' zei de koning. 'Onderweg kwam ik langs een gevangenis waarin alle dieven zaten opgesloten. De arme kerels. Ik heb ze losgelaten.'

'Wat? Lopen alle dieven nu vrij rond?' vroeg Iezebel verschrikt.

'Natuurlijk, de stakkers,' zei de koning. 'En weet je wat ik

ook gedaan heb? De neushoorns vrijgelaten. De arme dieren zaten achter tralies.'

'De neushoorns? Maar ze zijn gevaarlijk!' riep de koningin. 'Wat ben jij voor een koning? Je bent een lor van een koning!'

Roel keek haar treurig aan en zei: 'Ik zal niet lang meer koning zijn. De vorst van hiernaast staat aan de grens met een groot leger. Hij wil ons veroveren.'

'En wat ben je van plan te doen?' vroeg koningin Iezebel.

'Niets,' zei koning Roel. 'Helemaal niets.'

Op dat moment kwam de eerste minister trillend van de zenuwen binnen en zei: 'Sire, de toestand is onhoudbaar. Uw onderdanen vluchten de bomen in, want overal lopen woeste neushoorns. En de dieven zijn bezig de Bank te beroven. Uw volk is diep ongelukkig.'

'Is dat zo?' vroeg de koning met bibberende stem en zijn tranen vloeiden weer. Toen verloor de koningin haar geduld. Ze greep een zilveren kandelaar en sloeg hem daarmee hard op het hoofd. 'Daar,' zei ze. 'Wat doe je nu?'

Roel keek haar bedroefd aan en zei: 'Niets, lieveling.'

Sprakeloos van woede draaide de koningin zich om en liep het paleis uit, naar tante Oena die boven op de berg woonde. Onderweg ving ze af en toe een glimp op van hollende neushoorns. Ze zag ook groepjes sluipende dieven, maar ze was te boos om ergens bang voor te zijn. Hijgend kwam ze boven, bij tante Oena die haar vriendelijk toeknikte.

'Ik verwachtte je al, lieve kind,' zei tante Oena. 'Je komt me zeker iets vragen. Wou je soms wat mooier worden?'

'Dat heeft geen haast,' zei koningin Iezebel. 'Er is iets veel belangrijkers. Ik wou dat u mijn man een tikje slechter kon maken.'

'Hij is te goed zeker?' vroeg tante Oena.

'Veel te goed.'

'Ga maar naar huis,' zei tante Oena. 'Het is al gebeurd.'

De koningin liep naar het paleis terug, zo snel als haar grote voeten haar dragen konden. En toen ze binnenkwam, zag ze haar gemaal staan met een grote stok in zijn hand. Hij stond te schelden tegen de eerste minister.

'Wat is dat voor een troep hier?' riep hij dreigend. 'Wilde neushoorns in de stad! Allerlei gespuis op de wegen! Wat moet dat? Sluit ze ogenblikkelijk allemaal op. En wat hoor ik, staat er een vijand voor de grens? Zou je daar dan niet eens wat aan doen? Lantorfanter!'

'O Roel,' zei de koningin, die net binnenkwam. 'Wat ben je veranderd!'

Hij keek om en zag zijn vrouw staan. 'Jij...' riep de koning wit van drift. 'Jij hebt me geslagen met een kandelaar. Hoe durf je!' Hij liep naar haar toe en gaf haar een draai om haar oren.

De ogen van koningin Iezebel begonnen te stralen. Ze was plotseling mooi van geluk. 'Je slaat mij,' riep ze opgetogen.

'En je kunt nog meer krijgen ook!' riep de koning.

Het hele hof kwam kijken naar de driftbui van de koning en iedereen was dolgelukkig. En van dat ogenblik af heette de koning niet meer Roel-met-gevoel. Hij heette voortaan Roel-met-een-doel. Goed was hij nog wel, maar hij had geen tijd meer om te huilen en hij was precies slecht genoeg om een beetje verstandig te wezen. Eén kanonschot in de lucht was voldoende om de vijand weg te jagen. De zieken werden beter gemaakt, de armen werden een pietsje rijker gemaakt, alleen: oude mensen jong maken, dat kon de koning niet. Maar het was niet nodig, want ze zaten gezellig op een bankje te kijken naar de neushoorns in het park, die stevig achter tralies werden gehouden.

'Zal ik aan tante Oena vragen, of ze mij een beetje mooier maakt?' vroeg de koningin wel eens.

'Laat maar,' zei de koning. 'Ik hou van je zoals je bent.'

Dat zijn prettige woorden om te horen. Daarom leefden ze nog lang en gelukkig.

Kom, zei het schaap Veronica, ik ga eens op visite,
ik ga eens op visite bij de oude dames Groen;
die zitten 's morgens vroeg al zo gezellig in de suite.
Kom, zei het schaap Veronica, dat zal ik maar eens doen.

Kijk, zei het schaap Veronica: een beetje briljantine
dat doe ik op mijn krulletjes, zo iets dat kan nooit kwaad,
en nu nog gauw mijn sokjes aan, het is al over tienen.
Kijk, zei het schaap Veronica, zo kan ik wel op straat.

Zo ging het schaap Veronica gezellig op visite,
ze liep het Lindelaantje door, ze drukte op de bel,
de dominee deed open en hij liet haar in de suite,
daar zaten dan de dames Groen en zeiden: Wel, wel, wel!

Daar is het schaap Veronica, het schaap met zwarte voeten.
Hoe maakt u het, Veronica, kent u de dominee?
Ach, zei het schaap Veronica, 'k ben blij u te ontmoeten.
Wel, zeiden toen de dames Groen, zal 't koffie zijn, of thee?

Nou, zei het schaap Veronica, graag thee met een beschuitje,
zo'n lekker Haags beschuitje, permitteert u dat ik sop?
Het weer is niet je dat, he? Ieder ogenblik een buitje.
Kom, zei het schaap Veronica, nu stap ik weer eens op.

Dag dominee, tot ziens maar weer, dag lieve dames Groen!
Dag juffrouw schaap Veronica, zeiden de dames toen.

He nee, zei 't schaap Veronica, ik wil nog niet gaan slapen,
we hoeven niet zo vroeg naar bed, het is toch zaterdag?
Wel, zeiden toen de dames Groen, wij zitten al te gapen,
maar even een verhaaltje voor we slapen gaan, dat mag.

Da's goed, zo sprak de dominee, wat zal het dan eens wezen?
De wolf en zeven geitjes, zei het schaap Veronica.
Toen nam de dominee zijn bril en ging het sprookje lezen
van al die kleine geitekinders zonder hun mama:

'En toen de geitemoeder thuiskwam met een mand vol eten,
toen waren al haar kinders weg. Begrijp je hoe ze schrok?
De wolf was in het huis geweest en had ze opgegeten,
alleen het kleinste geitekindje zat nog in de klok.'

Hi, zei het schaap Veronica, hoe kan dat nou gebeuren...
Zo'n geitje kan niet in de klok, al is het nog zo klein.
't Is welles, zei de dominee, zit u toch niet te zeuren,
zo'n hele grote Friese klok, zo iets zal het wel zijn.

Nou, zei het schaap Veronica, ik ken toevallig geiten,
maar 'k heb er toch nog nooit een met een Friese klok ontmoet.
Wat drommel! riep de dominee, hier heb ik toch de feiten!
Eh, zei het schaap Veronica, de feiten zijn niet goed.

Kom, zeiden toen de dames Groen, nu is 't verhaaltje uit.
En wel bedankt, 't was prachtig mooi. Wie wil er een beschuit?

Tjee, zei het schaap Veronica, ik ben toch zo geschrokken!
Ik at een paardebloem... en ploem! daar viel ik in de sloot!
Ze hebben mij er met z'n allen haastig uit getrokken,
nu ben ik wel een beetje zwart, maar helemaal niet dood.

Help, riepen toen de dames Groen, o lieve help, wat treurig!
Kom binnen, schaap Veronica! Nee, blijft u even staan...
Uw krulletjes vol modder en ze waren zo keurig...
U druipt, u druipt, Veronica! De gang is pas gedaan!

Ja, zei het schaap Veronica en huilde dikke tranen,
ik ben een modderschaapje en ik blijf wel op de mat.
Kom, zeiden toen de dames Groen, er zijn nog altijd kranen.
Kom juffrouw schaap Veronica, wij doen u in het bad.

Daar gingen toen de dames Groen aan 't poedelen en aan 't
plassen
met groene zeep en soda en een héle grote spons.
He, zei het schaap Veronica, ik ben nog nooit gewassen!!
Ja, zeiden toen de dames Groen, zo gaat het nu bij ons.

O, riep het schaap Veronica, het zeep komt in m'n ogen,
u kietelt aan mijn voetjes, o, het kietelt, ha, ha, ha!
Wel, zeiden toen de dames Groen, en nu nog even drogen,
kijk nu eens in de spiegel, juffrouw schaap Veronica!

Ach, zei het schaap Veronica, wat ben ik hagelwit,
dag dames Groen, dag dominee, het beste met uw spit.

Zeg, zei het schaap Veronica, als we gaan zonnebaden,
wie zou er dan het bruinste zijn, de dominee of ik?
Wel, zeiden toen de dames Groen, da's makkelijk te raden:
een dominee wordt bruiner, want zijn vacht is niet zo dik.

Maar hee... waar is de dominee? Hij is toch niet gaan zwemmen?
Warempel, kijk daar staat hij! Tot zijn enkels in de zee!
Wat is hij toch weer roekeloos, men moet hem altoos remmen.
Straks zwemt hij Het Kanaal nog over. Kom toch, dominee!

Ahoy! schreeuwde de dominee met druipend natte haren,
het zeegat uit, komt knapen, nu het zeegat uit! Trala!
Mejuffrouw schaap Veronica, kom met mij in de baren!
Ik ga het duin af rollen, zei het schaap Veronica.

Ja, zeiden toen de dames Groen, we gaan het duin af rollen
en wie het eerst benee is, krijgt een lolly bij de thee.
Daar gingen dus de dames Groen aan 't gillen en aan 't hollen.
Hoera, zei 't schaap Veronica, ik ben het eerst benee.

En ik ben lekker tweedes, zei de dominee tevreden,
o kijk, de dames Groen zijn blijven hangen in de brem!
Help, riepen toen de dames Groen, wie helpt ons naar beneden?
Ik Kom Al, riep de dominee met donderende stem.

Toen groeven ze de dominee tot aan zijn nek in 't zand.
He, he, zei het schaap Veronica, een Dagje aan het Strand!

11

W-w-w, zei het schaap Veronica, ik voel mijn staartje rillen
en al mijn voetjes beven en mijn ruggetje zegt: piep!
Ach, zeiden toen de dames Groen, dat komt van de bacillen,
ach juffrouw schaap Veronica, u hebt natuurlijk griep.

Wat moeten we nu doen? We zullen gorgelen en pappen…
Hee, wacht eens, zei de dominee, u weet niet wat het is!
Laat mij eens even snuffelen in 't Boek der Wetenschappen.
Mij dunkt, het zijn de mazelen, als ik mij niet vergis.

Heeft zij al rooie vlekjes? Nee? Dan komen die wel later,
geeft u haar eerst abdijsiroop en dan kamillethee.
W-w-w, zei het schaap Veronica, ik wil een slokje w-w-water.
Aha, dan zijn het waterpokken, zei de dominee.

Ssst, zeiden toen de dames Groen, hier is de thermometer.
O kijk, ze heeft geen koorts en ze is daad'lijk weer gezond.
Als zij maar lekker slapen kan, dan is ze morgen beter…
Ik heb het, zei de dominee, het schaap heeft rode hond.

Nee, jammerden de dames Groen, niet zulke nare dingen,
wij zingen nu het wiegelied van: Slaap, schaapje, slaap.
Hoe zou dat liedje verder gaan, wat moeten wij nu zingen:
Daar buiten loopt een kindje? of: Hier binnen ligt een schaap?

Toen zongen zij heel zachtjes en driestemmig: Slapedoe…
Mmm, zei het schaap Veronica, mijn oogjes… vallen… toe…

Ach, zei het schaap Veronica, wat zit u toch te treuren.
Ja, jammerde de dominee, mijn kies doet me zo'n pijn!
Ajaj! riepen de dames Groen, dan moet er iets gebeuren,
dan gaan we naar de tandarts, op het Winjewanjeplein.

Dag dominee, dag dames, zei de tandarts, komt u binnen.
Wat is er? Doet het pijn? Ik zie het al, een dikke wang...
Gaat u maar zitten in de stoel, ik zal meteen beginnen.
Nee dames, blijft u alle drie maar buiten op de gang.

Au! riep de dominee alvast, nog voor hij was gaan zitten.
Kom, zei de tandarts vriendelijk, het helpt niet of u brult.
Het is niet erg, hoor! En we maken prachtige gebitten!
Die holle kies hier moet eruit, die kan niet meer gevuld.

De dames Groen die stonden stil te beven op de drempel.
O kijk, zei 't schaap Veronica. Wat vreselijk gemeen!
Nou geeft ie 'm ineens een prik. Daar komt de tang, warempel!
Awawa...! riep de dominee en trapte om zich heen.

De tandarts trok en trok en trok. Het was niet te geloven.
De hele tandartsstoel werd langzaam uit de vloer gerukt.
De stoel met dominee en al ging zachtjes aan naar boven...
En toen ineens een grote dreun... he he, het was gelukt.

Fffft... zuchtten toen de dames Groen, hij is eruit, de tand...
We laten er een bros van maken, met een gouden rand.

Wat is dat? riep de dominee, wat zal ik nou beleven?
Wat komt daar voor een monster aan? Mij dunkt, het is een
spook!
O, lieve, lieve dames Groen, o kijk nou toch 's even:
dat spook heeft zwarte krulletjes en praten kan het ook!

't Is ik! zei 't schaap Veronica en huilde zwarte tranen
O, jammerden de dames Groen, kijk toch, uw goeie goed!
U brengt ons alweer helemaal van onze tramentanen!
O, juffrouw schaap Veronica, u bent zo zwart als roet!

Wat hebt u toch gedaan? Waar hebt u nou weer in gezeten?
Ach, huilde 't schaap Veronica, ik zag... ik dacht... ik wou...
er stond een vat met teer op straat, toen wou ik zo graag weten
of iemand daar ook in kon vallen. En dat weet ik nou.

Dat gaat er nooit meer af, zeiden de dames Groen gepijnigd.
Ik zal de stomerij opbellen! riep de dominee.
Hallo! Wij hebben hier een schaap, dat moet chemisch gerei-
nigd!
Vanmiddag klaar? Da's goed, juffrouw. Wij brengen haar wel
mee.

En 's middags kwam het schaap terug, weer helemaal in orde.
Er zat een keurig strookje met een nummer aan haar staart.
Wel wel, zeiden de dames Groen, wat is ze wit geworden!
't Kost zeven gulden vijftig, maar het is de moeite waard!

Ze kreeg een beker chocola, een grote beker vol.
Pas op hoor! zei de dominee, en mors niet op je wol!

Komaan, zo sprak de dominee, wat zal het nu eens wezen?
Hoe brengen wij de avond door, wie heeft er een idee?
He, zei het schaap Veronica, als u ons voor wilt lezen
dan zijn wij u zo innig dankbaar, lieve dominee...

He ja, zeiden de dames Groen, wij gaan intussen breien,
een mooi verhaal... en 't liefst een beetje treurig als het kan...
wij vinden 't na het eten altijd heerlijk om te schreien.
Nou goed dan, zei de dominee, daar gaat ie dan.

Toen las hij een vertelling over hele arme lieden
die zaten zonder kachel, zonder geld en zonder brood.
En van een rijke heer die daar een korfje aan kwam bieden
met soep en eierkolen, als een redder in de nood.

Ach, huilde 't schaap Veronica, wat zielig en wat heerlijk...
O ja... snikten de dames Groen, het leven is zo wreed...
wij willen ook zo graag iets doen voor arme mensen. Eerlijk,
ach dominee, wanneer u soms eens arme mensen weet...

De dominee zei peinzend: Tja, ik ken wel veel gezinnen,
maar al die mensen eten tegenwoordig mokkataart.
Wat erg! riepen de dames Groen, dan blijven wij maar binnen,
dan brengen we ze ook geen soep! Dan zijn ze het niet waard!

Nou, zei het schaap Veronica, maar 't was een mooi verhaal!
Heel mooi, zeiden de dames Groen. Nu koffie allemaal?

Lepeltjes in een doosje

Twee lepeltjes in een doosje,
die lagen daar zoet en stil.
Ze lagen daar al een poosje,
de hele maand april.

Ze lagen daar maar te praten
met een heel verdrietig gezicht.
Ze voelden zich zo verlaten,
het doosje bleef altijd dicht.

Wie wil er met ons roeren
in koffie of in thee
of 't kindje pap met ons voeren,
zo riepen ze alle twee.

En kwam er toen iemand? Ja zeker
en toen, toen mochten ze elk
roeren in een beker
met chocolademelk!

Beppie Snauw

Er was er 's een meisje en ze zag er schattig uit
met lieve blonde krullen en een jasje met een ruit
en toch kon niemand niemand niemand van haar houden.

Ze snauwde!

Ze snauwde tegen moeder en ze snauwde tegen tante,
ze snauwde zelfs in Artis tegen al de olifanten
en tegen Piet de groenteman en tegen Klaas de bakker
en tegen Knuffeltje de hond, die arme oude stakker,
ze snauwde tegen poes en tegen juffie van de klas
en iedereen zei aldoor dat het heel ontzettend was.
En niemand vond haar aardig hoor. En iedereen zei: Nou,
wanneer dat niet verandert heet ze voortaan Beppie Snauw.

Eens op een dag ging Beppie Snauw wat steppen in de straat.
Er was geen mens op het trottoir; het was al aardig laat.
Er kwam alleen een heel oud vrouwtje met een stok voorbij
en Beppie Snauw riep: Uit de weg! Opzij, opzij, opzij!
Hier kom ik met mijn stepje aan, vooruit dan, gauw gauw
gauw!
Het klonk bepaald niet vriendelijk. Die nare Beppie Snauw!

Het oude vrouwtje keek eens goed naar Beppie op haar stepje
en prevelde toen: Hokus pokus pierus, kip ik heb je...
Ze zwaaide met haar stafje, want o wee, o wee, o wee:
't was geen gewoon oud vrouwtje, hoor, het was een toverfee!
En weet je wat er toen gebeurde? O, wat akelig!
Die arme Beppie werd veranderd in een big.

En toen haar moeder riep: Zeg kom je handjes wassen, Bep!
toen kwam er een klein varkentje aanrijden, op de step...

Het kleine ruitenjasje had het varkentje nog aan.
De moeder bleef versteend van schrik daar op de drempel staan.
Was dat haar kleine dochtertje? Dat groezelige beest?
Och, was die kleine Beppie toch maar niet zo stout geweest.

Gelukkig was haar tante thuis, die lieve tante Mien.
Die zei: Dat heeft de fee gedaan, dat kan ik daadlijk zien.
Want tante Mien die kende alle feeën in de stad.
Ze had er wel eens eentje bij haar op de thee gehad.
En tante was verstandig en ze kwam direct in actie:
ze ging de fee bezoeken, met het varken in een taxi.

Och lieve fee, zei tante Mien, dit hier is Beppie Snauw.
Ik weet, ze was heel lelijk, maar nu heeft ze echt berouw.
Nietwaar? zo zei ze tegen Beppie, en het varken knorde.
Och laat haar asjeblieft toch weer een lief klein meisje worden.
De fee zei: Nou, vooruit dan maar en zwaaide met haar staf
en toen viel de betovering ineens weer van haar af.

En Bep was weer een meisje, een lief meisje, dat nooit snauwde!
Alleen het varkensstaartje heeft ze nog een tijd gehouden.
't Kwam achter uit haar rokje en dat was een erge straf.
Pas na een week of zeven viel het staartje er weer af.
Dus alles is gelukkig goed gekomen. En de staart
die hebben ze tot nu toe in een koffiebus bewaard.

Poes Minetje telefoneert

Spreek ik met poes Mies? Hallo...
Ja Mies, je spreekt met nicht Minetje.
Ik dacht vandaag: Kom! dacht ik zo,
ik bel eens op. Hoe gaat het met je?
Heb jij ook poezekinders, nicht?
O ja? en kunnen ze al lopen?
O, hebben ze hun oogjes dicht?
Mijn kinders hebben ze al open.
Was jij ze ook af, met je tong?
Ik ook, ik doe het nooit met water.
Wat zeg je? Och, ze zijn nog jong,
ze worden heus wel zindelijk, later.
En Mies, heb jij een goede baas?
En ook een goeie Vrouw getroffen?
Wat zeg je? krijg je leverkaas?
En melk met room? Dat noem ik boffen!
Mijn Vrouw is ook heel goed voor mij.
We krijgen brood, alleen voor katten,
en soms een haringkop erbij,
'k hoef eigenlijk nooit iets te jatten.
Ja, 'k doe het wel eens, voor de sport,

zo'n lekker visje zonder graten
dat pik ik stiekem van een bord,
als poes kun je zo iets niet laten.
En gisteren, moet je horen, nicht!
Wij hebben een kanarie hangen.
Ja, in een kooi, die kooi is dicht
maar toch had ik 'm háást gevangen.
Ik sprong zo boven op die kooi,
dat beest aan 't piepen zeg! Verbazend!
Maar toen, en dat was niet zo mooi:
toen kwam de Vrouw en die was razend!
Ik kreeg een klap. Ze zei, Minet,
kanaries zijn niet om te eten.
Ik kroop maar onder het buffet,
daar heb ik drie kwartier gezeten.
Maar toch is 't gek, he, van de Vrouw...
Als ik een muis vang, zegt ze: Knap hoor!
Dat mag dus wel, begrijp jij dat nou?
Ik ben een boon, als ik het snap hoor!

Nu krijg ik kramp, ja, in mijn poot,
niet erg, hoor, nee, 't is maar een beetje.
Mijn oudste kind is al zo groot:
hij wast zijn eigen staart al, weet je!
Dag nicht Mies, daar komt de Vrouw,
ze mag het eigenlijk niet weten...
Tot ziens en 't beste hoor, miauw!
Tot kijk maar weer en smaaklijk eten.

Drie meneren in het woud

Er waren eens drie meneren
heel deftig en heel oud,
die wilden gaan kamperen,
kamperen in het woud.
Ze lazen om te beginnen
alvast het weerbericht.
Ze kochten een tent van linnen
en helemaal waterdicht.
Zij vonden een woud vol bomen,
het was er guur en koud,

de regen viel in stromen,
het was een heel woest woud.
Ze zaten te rillen daarbinnen,
daarbinnen in die tent.
Je moet zo iets nooit beginnen
als je oud en deftig bent.
De drie oude meneren
werden verkouden en hees.
Toen kwamen er drie beren,
die roken mensenvlees.
De beren waren schrander
en trokken meteen van leer.
Ze zeiden tegen elkander:
Zeg, lust jij oude-meneer?
Ze gooiden met boze snuiten
de hele tent opzij.
De meneren kropen naar buiten
en riepen: Heb medelij!
O, beren, hebt genade,
wij zijn zo deftig en oud!
Wij doen hier toch geen schade?
Wij zitten gewoon in het woud.
De beren zeiden: Ach, vrinden,
zo erg was het niet bedoeld!
Wij zullen u niet verslinden.
Wij zijn alweer bekoeld.
Toen zaten ze met z'n zessen
gezellig onder een boom
en dronken een glaasje bessen,
en noemden elkander: Oom.
De deftige, oude meneren
zijn weer terug, alle drie.
Zij denken nog vaak aan de beren,
met liefde en sympathie.

Klompen

Er stonden een heleboel brommers voor de petatkraam, omdat het zaterdag was. Jan zette z'n kleine fietsje netjes tussen de brommers, ging naar binnen en zei: ''n IJsje.'

Achter de toonbank stond Kees frieten te bakken in z'n witte jas.

'Met die kou?' zei hij, ''t IJs valt nog uit de hemel, jongen. Maar je kan het krijgen.'

In de hoek van de tent zaten de mannen van de brommers

en tussen hen in zat een vreemde meneer te wijzen. Hij hield z'n wijsvingers een eindje van elkaar, net of hij aanwees hóe groot de vis was die hij had gevangen.

Dat was dan maar een heel klein visje, dacht Jan, zo groot als m'n schoen.

De brommermannen keken naar de wijzende meneer. En ze schudden allemaal het hoofd. ''t Is een Amerikaan die daar zit,' zei Kees. 'Een toerist.'

Een toerist! Jan had wel eens toeristen op de tv gezien maar nooit echt. Ze kwamen hier niet, want het was hier een dorp waar niks te zien was. Alleen maar tomatenkassen en nieuwbouw. Was dit nou een toerist? Hij zag er zo gewoon uit, met een trui en een broek, net als iedereen.

'Hij wil klompen kopen,' zei Kees. 'Hij wijst aan hoe groot ze moeten wezen. Kinderklompjes voor z'n dochtertje. Speciaal uit Rotterdam is ie gekomen om klompen te kopen. Ik heb al gezegd: Je moet in de stad zijn, in een souvenir-winkel. Maar hij zegt *nee*, hij wil échte klompen, zoals ze écht gedragen worden. Weet jij soms een winkel waar ze klompen verkopen, Jan?'

Jan dacht na, terwijl hij aan z'n ijsje likte. Roze ijs in een horentje.

''t Is moeilijk,' zei Kees. 'We weten het hier geen van allen. Want wie draagt er nou klompen? Die Amerikanen denken dat we hier allemaal op klompen lopen. Me neus!'

'M'n moeder weet wel een klompenwinkel,' zei Jan.

'Horen jullie dat!' riep Kees hard door de zaak. 'Deze jongen kan wel aan klompen komen, zegt ie!'

Iedereen keek naar Jan met een soort eerbied. Had hij maar niks gezegd. Nog geen halve minuut later stond hij buiten met een bankbiljet dat de glimlachende Amerikaan hem in de hand had gedrukt. Plus een klein endje touw: de maat voor de klompjes. En terwijl hij naar huis reed – hij woonde vlakbij – bedacht hij dat z'n moeder niet thuis was. Ze zou pas vanavond na het eten terugkomen.

Misschien dat z'n vader kon helpen.

In de woonkamer zat zijn grote broer Fred met vader te schaken, want het was zaterdag.

'Pap, weet jij een klompenwinkel?' vroeg Jan.

'Wat moet jij met klompen?' vroeg z'n vader.

'Er is een Amerikaan in de frietenzaak. Hij is helemaal hierheen gekomen om klompen te kopen voor z'n dochtertje. Hij wacht op me en *ik* moet ze kopen.' Vader schoof z'n stoel achteruit. *'Wat een onzin!'* riep hij kwaad. 'Die buitenlanders denken nog altijd dat wij hier op klompen lopen. Waar zit die vent? In de petatkraam? Zeg 'm dan dat wij een modern land zijn. Met net zulke grote fabrieken als in Amerika. En de grootste haven van de hele wereld, jazeker, Rotterdam! Zeg tegen 'm dat wij geen boeren op klompen zijn, maar een land dat trots is op z'n *waterwerken*! Duizend jaar hebben we de zee moeten tegenhouden en dat hebben we gedaan, met onze dijken en dammen en bruggen.' Vader sloeg boos met z'n vuist op tafel en Jan deinsde verbluft achteruit. Moest hij dat allemaal aan die vreemde meneer vertellen, die geen Hollands verstond? Maar nu begon Fred ook te schreeuwen.

'Nee, we lopen niet op klompen!' riep Fred. 'We rijden in drie miljoen auto's. Die de wegen verstoppen. Zeg 'm maar hoe trots we zijn op ons land waar de vissen dood in de rivier drijven, waar de vogels stikken in de olie, waar de fabrieken zo stinken dat we geen adem kunnen halen. En waar de plassen vervuild zijn!'

'Dat heeft er niks mee te maken!' riep vader. 'Jouw lange haren zijn vuiler dan de plassen. Ga liever naar de kapper!'

Fred schreeuwde terug. En Jan draaide zich om en liep de deur uit.

Hij had enkel maar gevraagd waar je klompen kon kopen! Maar zo ging het altijd. Altijd gehakketak tussen vader en Fred.

Hij wou terug naar de petatkraam om te zeggen dat hij geen winkel wist. Maar het woord 'plassen' was in z'n hoofd blijven steken en opeens dacht hij: Hennie heeft klompen. Hennie zat bij hem in de klas en met koninginnedag had ze een boerendansje gedaan met nog twee meisjes. Op het schoolplein. Op klompen. En Hennie woonde in een woonboot op de Zuiderplas. Jan was er vaak geweest en het was helemaal niet ver.

Even later reed hij over de lange dijkweg die langs hun dorp liep. Aan weerszijden van de weg waren kassen. Eindeloos veel, rijen en rijen kassen waarin de tomaten en de komkommers werden gekweekt. Hij had de wind tegen, een harde rukkerige wind. Af en toe denderde een vrachtauto vlak langs hem, maar daar was hij aan gewend. Z'n moeder jammerde altijd: 'Dat kind alleen op de fiets en hij is pas acht!' Dan zei vader: 'Kom nou, *alle* kinderen rijden door het verkeer en hij is handiger op de fiets dan jij.' Nou, *dat* was zo.

Nu moest hij linksaf, de brug over. Dit was een stil smal weggetje langs een brede vaart. Al twee keer in z'n leven was hij in deze vaart gevallen. Een keer met vissen. En een keer op de fiets. Vader had gezegd: 'Als je nou nog *een* keer in die vaart plompt, pakken we je fiets af. Kun je voortaan lopen naar school.'

Hij zag kieviten opvliegen; het was maart. En telkens plopte er iets in de vaart... visjes. Niet álle vissen zijn dood, dacht Jan, terwijl hij scheef op de zijwind helde. En de vogels leven hier nog allemaal.

Even kwam de zon door en daar lag de plas, heel wijd en heel blauw. Nog haast geen zeilbootjes zo vroeg in het jaar.

Hij vond Hennie op het dek van de woonark, bezig haar hond te wassen in een teil.

'Hallo,' zei Jan.

'Hee!' zei ze.

'Heb jij die klompen nog?'

'Die wat?'

'Die klompen. Je had toch klompen op koninginnedag?'

'O ja,' zei Hennie. En ze ging door met wassen. De hond vond het niet fijn.

'Ik wil ze kopen,' zei Jan. 'Ik heb geld.'

Hennie liet de hond los en het dier sprong weg en schudde zich.

'Dat mag ik niet,' zei ze. 'Ik mag geen geld aannemen.'

'Vraag het even aan je moeder,' zei Jan

'Ze zijn niet thuis. Ze zijn naar me oma.'

En toen zei ze ineens: 'Ruilen mag wel.'

'Ruilen voor wat?'

Ze wees op z'n schoenen. Hij had blauwe ribfluwelen schoenen met rubbers. Jan weifelde. Hij zou zijn geld houden. Kon je daarvoor weer net zulke schoenen kopen?

'Okee,' zei hij en trapte z'n schoenen uit. Ze paste ze dadelijk aan en holde op en neer over het dek.

'Haal nou die klompen,' riep Jan ongeduldig.

Hennie ging naar binnen. Het duurde verschrikkelijk lang voor ze terug was en de hond stond woedend tegen hem te blaffen met z'n vacht vol schuim.

'Ze zaten in de verkleedkist,' hijgde Hennie, toen ze eindelijk met de klompen aankwam. 'Denk je dat je ermee kunt fietsen?'

Jan moest eerst meten aan het touwtje of de maat goed was. Ze waren een tikje te groot voor het Amerikaanse dochtertje, maar goed... beter dan te klein. En hij kon ze heel goed aan. Maar wat een ongemakkelijke harde dingen.

'Bedankt,' zei hij. 'Daag!'

Het weer was nu slechter. De wind woei bozer en uit de jagende grijze wolken begon regen te vallen.

De klompen pasten niet op de trappers van z'n fiets. Ze gleden er telkens af. Jan reed weer op de smalle weg langs de vaart, met de wind opzij.

En juist toen hij de drukke rijweg op wou draaien, vlak voor de brug... toen gebeurde het.

Hij verloor een klomp en terwijl hij hem met zijn voet probeerde te vangen zwenkte z'n fietsje naar rechts. Een woedende windvlaag zwiepte hem met fiets en al de vaart in.

Het was maar heel even dat Jan kopje onder ging; hij had dadelijk weer z'n hoofd boven water, snakkend en spugend en met z'n armen maaiend door het kroos. Maar zwemmen hoefde niet, zo ondiep was het aan de kant en toen hij op de berm was gekrabbeld kon hij de fiets aan het stuur aan de wal sjorren.

Op de weg lag een klomp. En de andere dreef dobberend in het midden van de vaart als een klein triomfantelijk bootje.

'Ik ga dat rotding *niet* halen,' zei Jan hardop en nijdig. 'Hij kan stikken, die Amerikaan. M'n schoenen ben ik ook al kwijt en nou wordt m'n fiets afgepakt!'

Hij snikte en proefde vies, modderig water.

Maar op het moment dat hij zichzelf hoorde huilen, stapte hij de vaart weer in, wankelde even op de glibberige bodem en zwom drie slagen. Met de klomp stond hij even later op de weg. Hijgend boog hij zijn stuur recht, stak de klompen in zijn fietstas en reed verder op zijn sokken. Nu pas voelde hij de ijskoude wind door zijn natte nylon jak.

Hij sloeg de hoek om, de drukke dijkweg op, waar de auto's en brommers driftig langs hem heen joegen. Niemand zag hoe nat hij was want niemand lette op 'm. *Een* ding was heerlijk: Wind mee. Storm in de rug.

Het was nu bijna donker en toen hij in de petatkraam kwam stond daar alleen nog maar Kees. Verder was iedereen weg.

'Nou breekt me klomp!' zei Kees. 'Hij is *net* vertrokken.'

'Waar is ie naar toe?' vroeg Jan. 'Ik heb de klompen.'

'Weet ik veel waar ie naar toe is. Naar Rotterdam. 't Is zes uur, iedereen is gaan eten.'

Toen ontdekte Kees hoe het jongetje eruitzag. 'Je bent

groen!' riep hij. 'Kom 's hier... heb je in de plomp gelegen...' Maar Jan rukte zich los en liep de kraam uit met z'n hoofd gebogen en diep geschokt.

Hij wou enkel nog maar naar zijn moeder.

Toen hij de huisdeur zachtjes opendeed, wist hij het weer: Ze is er niet... Eigenlijk maar beter ook. Ze had vast gejammerd: '*Wat* is er gebeurd! *Waar* zijn je schoenen! *Dadelijk* naar bed! *Morgen* heb je longontsteking!'

Nu kon hij stiekem naar boven sluipen, onder de douche gaan, z'n kleren wassen. Maar toen hij op z'n tenen naar de trap liep hoorde hij vader en Fred praten in de woonkamer. En plotseling bleef hij heel stil staan. Ze spraken in 't Engels!

Hij deed de deur van de kamer heel zacht open, op een kier.

Onder de schemerlamp, in de leren stoel, zat de Amerikaan.

Fred praatte tegen hem, half in het Engels, half in het Hollands. Hij had het over luchtvervuiling. 'No no!' riep vader, 'de *waterwerken*!'

De Amerikaan zat beleefd te luisteren. Toen zag hij Jan in de deuropening. Hij stond op en zei: 'Hallo.'

'Wel allemachtig, daar is ie!' riep Fred.

'Waar was jij?' vroeg vader. 'We waren ongerust! Fred is je gaan zoeken!' Jan hield de twee klompjes voor zich uit en de Amerikaan nam ze voorzichtig aan. Een tikkeltje vochtig waren ze, met sliertjes groen, maar die kon je er afvegen.

'Die jongen is klets!' riep vader. 'Regent het nou zo hard of... Zeg hoor 's, je wil toch niet zeggen dat je *alweer* in de vaart hebt gelegen?'

'Ik was je gaan zoeken,' zei Fred. 'En toen ik bij de frietenzaak was, kwam deze meneer er net uit, en hij vroeg de weg naar de bus. "Jij had 'm in de steek gelaten," zei hij. Maar *ik* zei: "Sir, als mijn kleine broertje belooft dat ie klompen gaat halen, dan *gaat* ie ze halen." '

Vader lachte. Gelukkig... hij was niet kwaad. En hij zei niks over fiets afnemen. Hij zei enkel: 'Ga gauw onder de warme douche dan maak ik een kop hete chocola voor je.'

De Amerikaan bekeek de klompen teder.

'Echte klompen...' zei hij. Hij zei het in het Engels, maar Jan begreep het wel.

'Echte klompen, zoals ze hier overal in Holland écht gedragen worden,' zei de Amerikaan.

Sebastiaan

Dit is de spin Sebastiaan.
Het is níét goed met hem gegaan.

Luister!

Hij zei tot alle and're spinnen:
Vreemd, ik weet niet wat ik heb,
maar ik krijg zo'n drang van binnen
tot het weven van een web.

Zeiden alle and're spinnen:
O, Sebastiaan, nee, Sebastiaan,
kom, Sebastiaan, laat dat nou,
wou je aan een web beginnen
in die vreselijke kou?

Zei Sebastiaan tot de spinnen:
't Web hoeft niet zo groot te zijn,
't hoeft niet buiten, 't kan ook binnen
ergens achter een gordijn.

Zeiden alle and're spinnen:
O, Sebastiaan, nee, Sebastiaan,

toe, Sebastiaan, toom je in!
Het is zó gevaarlijk binnen,
zó gevaarlijk voor een spin.

Zei Sebastiaan eigenzinnig:
Nee, de Drang is mij te groot.
Zeiden alle and'ren innig:
Sebastiaan, dit wordt je dood...
O, o, o, Sebastiaan!
Het is niet goed met hem gegaan.

Door het raam klom hij naar binnen.
Eigenzinnig! En niet bang.
Zeiden alle and're spinnen:
Kijk, daar gaat hij met zijn Drang!

Pauze

Na een poosje werd toen éven
dit berichtje doorgegeven:
Binnen werd een moord gepleegd.
Sebastiaan is opgeveegd.

Uit met juffrouw Knoops

Lot vond het heerlijk om bij juffrouw Knoops te logeren. Ten eerste kreeg ze tweemaal per dag een ijsje. Ten tweede mocht ze net zo hard schreeuwen met de buurkinderen als ze wou, en zelfs van het balkonnetje naar beneden spugen. En ten derde ging ze vaak naar de bioscoop met juffrouw Knoops. 'Het is wel een liefdesfilm...' zei juffrouw Knoops dan, 'maar je kunt best voor veertien doorgaan, al ben je dan nog maar elf... en trouwens: je zal er niks geen kwaad van leren, kind, daar zal *ik* wel voor zorgen.'

En nu was het woensdagmiddag en ze zouden weer naar de bioscoop gaan. 'Zo...' zei juffrouw Knoops, 'voor jou een zakje droptoffees en voor mij een zakje bonbons. Geef m'n handschoenen even aan, wil je? Nee, sufferd, dat is de zakdoekendoos. Nee, dat mahonie kistje moet je hebben, daar zitten handschoenen in.'

Terwijl juffrouw Knoops voor de spiegel stond en haar roze hoed met de witte voile opzette, vertelde ze: 'Kijk, we gaan vanmiddag naar het Trianon Theater, en daar zijn twee cinemascope-films. Staat die hoed zo goed, vind je?'

'Mooi!' zei Lotje, die alvast een droptoffee had gepikt en daar luidruchtig op zoog.

'Nou... en die eerste film gaat over de natuur, ergens ver weg, wildernis, jungle, of hoe het heten mag. En de tweede film gaat over de liefde. Maar erg onschuldig hoor. En allebei cinemascope.'

'Wat is cinemas... mas...'

'Cinemascope. Dat is een film, die veel échter is dan een gewone film. Als er een trein aankomt op zo'n film, dan is het net of die trein de zaal in zal rijden, o, heerlijk eng! En als je mensen in een kamer ziet lopen en bewegen, dan is het net of je zó die kamer in kunt gaan en mee kunt praten met ze. Maar je moet het zíén! Ik kan het je niet helemaal uitleggen.'

Juffrouw Knoops schoof haar voile wat omhoog, om een beetje crème op haar neus te doen, terwijl Lotje aandachtig toekeek.

'Doet u uw bont niet aan?' vroeg ze.

'Natuurlijk doe ik m'n bont aan.'

'Mag ik 'm dan eerst even vasthouden?'

Juffrouw Knoops haalde de bont uit de doos en Lotje pakte het beest voorzichtig aan. Het was een rode vossebont. Je zou zeggen dat de vos leefde. Hij had een dikke rossige poezige staart en vier pootjes met echte nageltjes en een mooi driehoekig vossegezichtje met bruine oogjes. Lotje vond die vos zo lief, zo lief. En zo écht; het was bijna een echte vos. Maar deze vos rook sterk naar kamfer en echte vossen ruiken niet naar kamfer.

En bovendien had dit vosje een zijden voering en echte vossen hebben nooit een voering.

Lotje zat verrukt met de vos op haar knieën en ze aaide de kop en de rug, totdat juffrouw Knoops ongeduldig zei: 'En geef nou op, anders komen we te laat.'

Ze legde het beest voorzichtig om haar hals... daar lag ie in een kringetje en met de tandjes beet hij in zijn eigen staart, zodat hij er niet kon afvallen.

Lotje huppelde op straat naast juffrouw Knoops die er erg chic uitzag met haar grijze mantelpak, haar roze hoed met de voile en de mooie vos. Ze waren laat. Het was al pikdonker in de bioscoopzaal en er klonk harde marsmuziek: het nieuws was begonnen.

'Is dit nu al cinemas... mas...' fluisterde Lot.

'Neee...' siste juffrouw Knoops terug, 'dit is heel gewoon het nieuws.'

De juffrouw met het witte schortje bracht hen naar twee plaatsen midden in de zaal, vlak naast het gangpad, en daar installeerden ze zich, gezellig in de zachte stoelen, ieder met hun eigen zakje snoep.

'Nu komt het...' fluisterde juffrouw Knoops. 'De film over de Natuur.'

'Kijk... daar komt het: *Fauna in het bos.*'

'Wat is Fauna?' vroeg Lotje.

'Fauna betekent... eh... dieren. Alle dieren bij elkaar, dat heet fauna,' zei juffrouw Knoops.

Lotje ging helemaal voorover leunen en deed haar mond wijd open, om beter te kunnen zien. Dat deed ze altijd, hoewel juffrouw Knoops er haar om uitlachte. 'En toch kan ik dan beter zien,' zei Lotje.

Een bos! Het was een bos!

Een klein beekje spette en danste en kletterde over een grijze rots. Hier en daar viel het water allemaal tegelijk naar beneden; daar was dan een watervalletje. Het beekje verdween tussen de bomen... donkergroene naaldbomen met hier en daar een plekje loofhout en struiken waarover zachtjes de wind streek en waartussen nu en dan de zon lichtgroene ronde plekken maakte. Een bos... Maar zó echt! Het was of je zó erin kon gaan, of je maar een paar stappen hoefde te doen en je was werkelijk zelf in dat bos.

'Zie je wel...?' fluisterde juffrouw Knoops. 'Dat is nou cinemascope.'

Lotje zag het. Het was mooier dan een gewone film. Ze zou het liefst willen dat juffrouw Knoops maar helemaal niets meer zei; ze wilde zo graag geloven dat ze écht in het bos was, tussen hoge ruisende pijnbomen, tussen rotsige stenen en varens en struiken en... o kijk, een beestje... een martertje, dat langs de struiken sloop en heel voorzichtig om zich heen gluurde, schichtig met z'n glanzende oogjes...

En nu verschoof het beeld en je zag in het kreupelhout een nest. Een vogelnest, met een moedervogel die doodstil zat. Te broeden? Had ze eitjes? Of waren het al kindertjes... waren het kleine vogeltjes. Ja, Lotje zag het duidelijk, er kwam een klein kopje gluren onder die moedervogel uit... ach, wat schattig... als die marter ze maar niet vond. Daar liep weer een beest... was het die marter weer? Nee, een... een... het was een vos. Een rode vos. Hij keek niet op of om... hij schoof heel snel tussen de lage boompjes door. Hij was op weg naar zijn nest, misschien. Jawel hoor, het hol. Het vossehol. En juist aan de ingang van het hol zat nog een vos, met drie kleintjes. Het vossehol verdween weer en ze dwaalde verder tussen de bomen.

Lotje genoot intens en ze hoopte maar dat juffrouw Knoops nou niet zou gaan praten.

Er viel iets op haar hand. Iets nats. Een druppel. Ze veegde hem af en dacht toen pas: Hee, huil ik? Nee, ik huil niet. Ik vind het allemaal veel te fijn. Huilt juffrouw Knoops dan? Ze keek even opzij en zag juffrouw Knoops met een kalm gezicht, een gezicht dat wel kauwde, maar niet huilde.

Toen keek Lotje ineens in de ogen van de vos. De vos van juffrouw Knoops. Uit allebei de ogen van de vos viel een traan. Het vosje huilde. Het vossebontje huilde.

Maar dat kan toch niet... dacht Lotje verward. Bonten kunnen toch niet huilen?

Maar voordat ze verder kon denken gebeurde er iets.

Het vossebekje had de staart losgelaten. De vos viel geluidloos van juffrouw Knoops' hals. Lotje bukte zich onmiddellijk om hem op te rapen, nog vóór juffrouw Knoops zelf haar hand uitstak.

Maar allebei waren ze te laat. Het vosje liep weg... langs het gangpad van de bioscoop, in het duister liep het weg.

'M'n vos...' zei juffrouw Knoops verschrikt en ze stond half op. Lotje was al langs haar heen geschoven en holde het vosje achterna. Achter zich hoorde ze juffrouw Knoops dringend fluisteren: 'Pak 'm dan. Hou 'm dan!'

Lotje boog zich voorover om de staart van de vos te grijpen, maar het dier klom een trapje op, voor in de zaal en Lotje greep mis. Ze rende ook het trapje op. Achter haar hoorde ze een mannenstem roepen: ‘Hee daar!’ Maar Lotje trok er zich niets van aan en ging verder, steeds de rossige pluimstaart in het oog houdend.

Juffrouw Knoops was nu vlak naast haar en hijgde.

‘Lotje…’ riep ze. ‘Lotje…!’

‘Ja…’ hijgde Lotje terug, zonder haar vaart in te houden.

‘We zijn… Lotje dan toch! Sta even stil!’ Er was angst in de stem van juffrouw Knoops.

Lotje stond even stil en draaide zich om. Ze greep even naar haar hoofd om te voelen of ze soms droomde. Ze waren in het bos.

‘We zijn erin gelopen…’ jammerde juffrouw Knoops. ‘Regelrecht de cinemascope in gelopen, Lot!’

Het was zo. Om hen heen was bos. Ze liepen over naalden en zachte mossige grond; ze hoorden de bomen ruisen, de zon speelde vrolijk tussen de takken door, en waar was de bioscoopzaal gebleven?

‘We moeten teruggaan,’ zei juffrouw Knoops. ‘Anders verdwalen we hier. Kom mee. Terug naar de zaal.’

Juffrouw Knoops ging voorop en Lotje volgde haar weifelend. De vos was al lang verdwenen tussen struiken en kreupelhout.

‘Hier was het,’ zei juffrouw Knoops. ‘Hier zijn we langs gekomen. Of niet? Of moeten we zo?’

Ze draaide om allerlei dikke bomen heen, keerde weer terug en keek Lotje radeloos aan. ‘We zijn al verdwaald,’ zei ze.

Lotje en juffrouw Knoops zaten op een dikke boomstronk. Ze kauwden op hun laatste bonbon en hun laatste droptoffee.

‘Het vosje had heimwee,’ zei Lotje. ‘Ik kan het me goed voorstellen. Hij zag daar ineens het bos en z’n kameraadjes en wou ernaar toe. Gewoon.’

‘Noem jij dat maar gewoon,’ zei juffrouw Knoops. ‘M’n goeie vos, die ik in de uitverkoop van Brink & Jossens heb gekocht. Weggelopen. In de bioscoop. Weggelopen, de film in. Noem jij dat maar gewoon.'

'Tja, dat komt van de cinecope,' zei Lotje.

'Cinemascope,' verbeterde juffrouw Knoops.

'Nou ja, cinemascope dan. Maar het bos was zo echt, geen wonder dat hij erin wou.'

Juffrouw Knoops bekeek mismoedig de veertien ladders in haar nylonkousen. Haar roze hoed stond scheef op haar ene oor, de voile was vuil en gescheurd en haar mantelpak zat vol vlekken.

Ze hadden nu een uur gedwaald door het woud; ze hadden gezocht en gezocht en gezocht naar de uitgang, of liever gezegd de íngang bij het bioscoopdoek, maar nee hoor. Niets gevonden. Het beekje hadden ze gevonden met de kleine witte watervalletjes en daar zaten ze nu.

Lotje hield haar blote voeten onder het sprankelende water en ze genoot.

Ook zij zag er lekker verwilderd uit; haar overgooier was gescheurd en haar bloes was een vod geworden, maar het kon haar allemaal niks schelen. Ze vond dit een zalig avontuur en ze wilde best haar hele leven in het bos blijven en leven van eh... jacht en zo, en wilde bessen...

Juffrouw Knoops zuchtte.

'Ik had je niet mee naar de bioscoop moeten nemen...' zei ze. 'Dit is nu mijn straf. We zijn in een griezelig oerwoud geraakt en we weten niet eens wáár. We weten niet eens in welk werelddeel. Misschien zitten we in Siberië. Of in Alaska. Denk je dat we in Siberië zijn, Lotje? Aan 't begin van de film werd toch nog gezegd, waar de film speelde? Of niet? Weet jij 't nog?'

'Eh...' zei Lotje. 'Ik weet het niet. Ik heb er niet op gelet.'

'Ik ook niet,' zei juffrouw Knoops spijtig. 'Maar het doet er ook niet toe. Per slot zijn we *uit* de bioscoopzaal gekomen en we moeten dus proberen die bioscoopzaal terug te vinden.

Maar hoe? Hoe? Morgen moet ik weer op kantoor zitten, dan is mijn vakantie om. En jij moet morgen naar je ouders terug. En wat zullen die wel zeggen als je niet komt? En straks wordt het donker. Straks komt de nacht. O Lotje! Ik ben bang!'

En juffrouw Knoops huilde.

Lotje legde haar arm over haar schouder en zei: 'Niet huilen, niet huilen. Ik zal goed op u passen. Laat de beren en de wilde beesten maar opkomen. Ik zal wel zorgen dat ze u niet opeten.'

Ze voelde zich ineens heel groot en sterk. Ze was niet bang. Ze vond het allemaal eigenlijk verrukkelijk en het enige nare was, dat juffrouw Knoops praatte over kantoor en ouders en teruggaan. Wat kon er nou heerlijker zijn dan in een echt wild bos te verdwalen?

'Kom kind, we moeten weer verder,' zei juffrouw Knoops en ze stond moeizaam op.

En daar ging het weer. Ze probeerden steeds in dezelfde richting te lopen, maar dat was nu juist zo moeilijk omdat er geen paden waren. Telkens moesten ze hele omwegen maken, omdat er rotsen en dichte struiken in de weg stonden en ze hadden het gevoel of ze aldoor in een kringetje liepen.

'Ik kan niet meer...' jammerde juffrouw Knoops en ze ging zitten op een open plek.

'Zullen we hier dan maar kamperen?' vroeg Lotje. 'De zon gaat straks onder.'

'Kamperen? Hier? Tussen de wilde beesten? Nooit!' zei juffrouw Knoops en ze stond dadelijk weer op en wankelde verder op haar hoge hakken.

'Goed,' zei Lotje. Zij kon nog wel verder. Ze was niet moe en ze had geen last van zere voeten omdat haar sandalen veel makkelijker waren dan de elegante pumps van juffrouw Knoops.

Lotje liep voorop. Ze boog telkens de takken van de struiken opzij zodat ze er allebei door konden.

DALENOORD

Hee, er schemerde iets rossigs tussen de bomen. Weg was het weer. Misschien een vos? Misschien hún vos?

'Zag je dat?' vroeg juffrouw Knoops.

'Het was een vos,' zei Lotje. 'Misschien de onze.'

'Voor mijn part,' zei juffrouw Knoops. 'Het kan me niets meer schelen. Als ik hier maar uit kom. Die nare vos. Het is zijn schuld dat we hier strompelen. Ik wil het beest nooit meer zien.'

Lotje snoof even de lucht in. Het was mogelijk dat ze het zich verbeeldde, maar rook ze niet even een vleugje kamferlucht?

'We gaan waarschijnlijk niet eens de goeie kant op...' klaagde juffrouw Knoops. 'Wie weet raken we dieper en dieper in de bossen en kijk hoe laag de zon staat. Het wordt donker.'

En het was zo. De zon speelde niet meer tussen de takken; het leek nu of het bos stiller werd en eenzamer en killer. Ze werden door het duister ingesloten, ze konden niet meer zien waar ze liepen, telkens struikelden ze... 'Ik ga niet verder...' riep juffrouw Knoops. 'Laat ons dan maar sterven in dit woud.' Waarna ze haar schoenen uittrok en languit op de hobbelige bodem ging liggen.

'Wacht even,' zei Lotje. 'Laten we een bed maken van blaren en mos. Laten we het een beetje makkelijk en gezellig maken.' En ze liep bedrijvig heen en weer in het donker, verzamelde een hele berg droge blaren die ze in een holletje tussen twee boomstammen uitspreidde.

'Zo,' zei ze. 'Hier kunnen we heerlijk slapen.'

Juffrouw Knoops sleepte zich naar het blarenbed en ging erop liggen, doodmoe.

'Wat ben je toch een lief kind,' zei ze. 'Wat zorg je goed voor me. En wat ben ik een ouwe zeurpiet.'

Toen viel juffrouw Knoops in slaap. En Lotje die naast haar lag soesde nog even met dichte ogen en genoot. Het was zo heerlijk en zo bijzonder en zo avontuurlijk. Het was zo wonderbaarlijk om zomaar in de open lucht te slapen, helemaal in het wild, in een groot woest woud. En het rook zo lekker, het rook naar dennen en ook naar loofbomen en ook naar aarde en naar rotte blaren en ook naar vrijheid en naar nooit-meer-iets-hoeven en naar... naar... wat was dat voor een geurtje, dat ze opving, vlak voor het slapen gaan. Lotje snufte... kamfer. Kamfer! Dat betekende... Maar de slaap drukte zo zwaar op haar oogjes... langzaam zonk ze weg tussen de dorre blaren met al die duizend geuren om haar heen, heel diep, heel diep in een slaap zonder dromen.

Was het door de wind, dat Lotje ineens wijd, wagenwijd wakker was? De wind ruiste hoog boven haar in de toppen van de dennen. Het suizen was zo sterk, zo sterk en nu ze naar boven keek zag ze een zilveren reep van de hemel. De maan scheen. Maar nee, er was ook nog een ander geluid. Er ritselde iets. Er schuifelde iets tussen de bomen. Er kwam iemand aan. Iemand? Iets?

Lotje zat recht overeind, leunend op haar handen en binnen in haar werd het ijskoud van schrik. Naast haar lag juffrouw Knoops, roerloos en diep in slaap. Vlak om hen heen was het pikdonker, maar iets verderop zag Lotje duidelijk de silhouetten van de bomen en de struiken in een vloed van maanlicht. Het geritsel kwam dichterbij. Lotjes ogen keken en keken en het was of al haar haren prikten op haar hoofd van spanning.

Toen zag zij hem. Het was een beer. Een beer die op zijn vier voeten zachtjes voortschuifelde tussen de blaren en de struiken en het mos. Zij zag zijn grote donkere lijf, zijn kop die licht heen en weer wiegelde...

'Help!' gilde Lotje. 'Heéeeéeeelp!'

Juffrouw Knoops proestte en hikte in haar slaap en riep: 'He? Wat?'

Lotje was opgestaan: ze trok juffrouw Knoops aan één arm

overeind en ze stotterde: 'W-w-w-weg! Kom!'

Met de half slapende juffrouw Knoops aan de hand wrong zij zich tussen een haag van struiken door.

'En nu lopen. Hard lopen,' beval ze.

'Ik heb m'n schoenen niet,' jammerde juffrouw Knoops. Maar Lotje trok aan haar hand en rukte haar mee. Ze liepen, ze holden, ze renden, nu en dan struikelend over boomwortels. De takken van lage boompjes zwiepten in hun gezicht, dorens krasten in hun armen en langs hun benen.

'Toe dan...' hijgde Lotje.

'Wat was er dan toch?' vroeg juffrouw Knoops klaaglijk.

'Een beer,' zei Lotje.

En nu was het juffrouw Knoops die het hardst liep. Zij trok aan Lotjes arm en sleepte haar verder, verder, verder door dit grote stille nachtelijke ontoegankelijke bos.

Toen ze eindelijk stil stonden omdat ze geen adem meer over hadden, hijgde Lotje: 'Laten we even luisteren.'

Ze luisterden.

Het was stil.

De bomen ruisten boven in de toppen. Maar er kraakte niets. Er ritselde niets langs de grond. Of toch? Was er een licht gekraak van brekende dorre takjes, daarginds?

Lotje luisterde en haalde diep adem. En toen rook ze het weer. Kamfer.

'Het is ónze vos...' fluisterde ze. 'Het is onze vos. Kijk, daar gaat ie.' En ze wees tussen de boomstammen.

'Waar?' vroeg juffrouw Knoops.

'Daar,' zei Lotje. 'Kom mee... Ik heb hem gezien. Ik zag duidelijk zijn lijfje en zijn staart. Kom...'

Gek, het was alsof ze ineens niet zo bang meer waren voor de beer en voor andere wilde dieren die hier misschien rondzwierven. Ze hadden nu het gevoel of ze een gids hadden in het bos. Nu en dan snoof Lotje, zoals een hond die een spoor volgt en zolang ze kamferlucht rook, wist ze dat ze de goede richting uit gingen.

De arme juffrouw Knoops had haar schoenen achtergelaten, maar haar tas klemde ze tegen zich aan en zonder zeuren of klagen bleef ze volhouden op die moeilijke tocht.

'Hij heeft ons in die film gebracht, die vos,' zei juffrouw Knoops. 'Hij zal er ons misschien ook weer uit brengen.'

'Nou ruik ik 'm opeens niet meer,' zei Lotje.

Ze stonden allebei stil en snuffelden.

Nee, er was geen spoor van kamferlucht meer te bekennen. Waren ze het spoor kwijt? Hadden ze een verkeerde richting gekozen? Waar was hun vos?

'Toch is het net, of het bos hier heel anders is,' zei juffrouw Knoops. En het was inderdaad zo. Hier leek het veel meer op een park dan op een bos. Er groeide hier gras. Er waren zware olmen, in plaats van dennen en laag loofhout. De rotsen waren verdwenen.

'Ik zie een huis!' riep Lotje. 'Ik zie licht!'

'Goddank,' zei juffrouw Knoops. En ze huilde van opluchting. 'Een huis.' Met nieuwe moed zetten ze koers naar het huis dat tussen de bomen schemerde.

'Het is een kasteel of zoiets,' zei juffrouw Knoops. 'In elk geval is het een heel groot huis. Kijk 's, met een torentje.'

Ze waren er nu vlakbij. Tegen de zilveren maanhemel stak het silhouet van muren en torentjes scherp af. Er was één kamer verlicht.

'Hoe komen we erin?' zei Lotje. 'Waar zou de voordeur zijn? We moeten bellen.'

Ze liepen om het huis heen, maar ze konden geen voordeur vinden.

'Hier is wel een trap,' zei juffrouw Knoops. 'Kijk, een trap naar de veranda. Laten we daar maar langs gaan.'

Ze gingen zachtjes de trap op en kwamen op de veranda, die langs de hele achterkant van het huis liep.

'Ik hoor zingen,' zei Lotje. 'Luister 's.'

Ze stonden stil en luisterden. Er klonk pianomuziek uit de

verlichte kamer. En een vrouw zong erbij.

'Mooi he?'

'Ja, mooi,' zei juffrouw Knoops. 'Kom, we gaan even door het raam kijken. Als die mensen geen voordeur hebben, dan gaan we maar aan hun ramen tikken.'

Ze liepen de veranda langs tot bij de verlichte ramen en ze keken. Daarbinnen was een grote, prachtig gemeubelde kamer. Aan de vleugel zat een jong meisje in een groen zijden japon. Naast haar, op een taboeret, zat een jongeman die luisterde en glimlachte.

'Och, kijk nou toch 's, wat snoezig...' fluisterde juffrouw Knoops. 'En wat zingt ze mooi.'

'Zullen we aan het raam tikken?' vroeg Lotje.

'Nog niet... even wachten. 't Is zo onbeleefd om ze te storen midden in het lied.'

'Maar ik heb zo'n honger,' klaagde Lotje. 'Ik wil zo graag om eten vragen.'

'Toch even wachten,' hield juffrouw Knoops vol.

Ze stonden vlak naast het open raam, tegen de muur aan gedrukt. Lotjes ogen gluurden nieuwsgierig door de hele kamer. Er stond een prachtige antieke kast, er was een tafeltje waar boeken op zwierven en tijdschriften, er lagen donkerrode kleden op de vloer en daar in de hoek was een soort toonbank met glaasjes en flessen. En daarnaast... Lotje hield ineens haar adem in. Daar, in die hoek, halfverscholen tussen de gordijnen, stond een man.

Het was een man met een lange hals. Hij had een gemeen gezicht. En in zijn hand hield hij een revolver. En hij hield de revolver gericht op het jonge meisje voor de piano.

'Aaaah...' zuchtte Lotje. Het was een zucht van ontzetting.

'Wat is er?' fluisterde juffrouw Knoops.

Lotje zei heel zacht: 'Kijk daar, in die hoek.'

Juffrouw Knoops keek. Toen gaf zij een enorme gil. Abrupt stopte de muziek. Er klonk een schot, geluid van brekend

glas... 'Kom mee,' zei juffrouw Knoops en ze trok Lotje aan de hand mee, langs de veranda. Het was nu donker daarbinnen, ze hoorden het meisje gillen en ze hoorden een mannenstem.

'Kom mee...' drong juffrouw Knoops aan.

'Nee...' fluisterde Lotje. 'We moeten haar helpen. We moeten iets doen.'

Maar juffrouw Knoops rukte aan haar arm, en plotseling hoorden ze iemand over de veranda lopen. Hij kwam op hen af. Blijkbaar was de man met de lange hals uit het raam op de veranda geklommen en achtervolgde hij hen nu.

'Gauw, gauw...' siste juffrouw Knoops. Ze holden samen de lange veranda langs. Juffrouw Knoops stootte een deur open en ze kwamen in een pikdonkere gang die ze door liepen. Maar ook de man was die deur door gegaan en hij volgde hen... hij was vlak achter hen... ze hoorden hem stommelen en hijgen.

Zonder een woord te zeggen renden juffrouw Knoops en Lotje het huis door. Ze gingen trapjes op, deuren door, langs eindeloze gangen, door slaapkamers heen; in hun vaart gooiden ze stoelen om, duwden ze tegen tafeltjes met vazen, die kletterend in stukken vielen. Ze trokken deuren open en ze sloegen deuren dicht, en ze durfden niet stil te staan om te luisteren of hun achtervolger hen nog op de hielen zat.

'Gauw, gauw. Kom dan...' hijgde juffrouw Knoops telkens weer en ze deed nu een deur open, waarachter een steile trap naar beneden leidde. Samen holden ze de trap af, kwamen in een gang, duwden de eerste de beste deur weer open en bleven achter die deur stilstaan.

'Sssst...' zei juffrouw Knoops. 'Niet bewegen. Komt hij?'

'Ik weet het niet,' fluisterde Lotje. Ze hijgden allebei van uitputting.

'Wat is het hier voor een kamer?' vroeg juffrouw Knoops.

Lotje deed een paar stappen. Het was pikdonker. Ze bukte

zich. 'Ik geloof een kolenhok, of zoiets,' zei Lotje. 'Ja, een kolenkelder. Ik voel kolen.'

'Sssst...' zei juffrouw Knoops. 'Hij komt. Ik hoor 'm de trap afkomen. Gauw gauw, kom hier achter de deur.'

Nauwelijks was Lotje weer bij juffrouw Knoops achter de open deur gekropen, of ze hoorden de man in de benedengang. Hij voelde blijkbaar dat de deur open was en hij kwam binnen, hijgend, zoals zij.

Even stond hij heel stil. Toen deed hij een paar passen naar binnen en Lotje begreep, dat hij om zich heen tastte. Straks zou hij achter de deur voelen en haar of juffrouw Knoops pakken.

Zij hield haar adem in en wachtte nog een paar seconden. Toen schoot ze als een veer uit een doosje naar voren en gaf de man een duw. Met haar volle gewicht was ze tegen hem aan gelopen en de man viel languit in de kolen. Voor hij weer op kon krabbelen, had Lotje juffrouw Knoops bij de hand gepakt, ze gingen de kelder uit en deden de deur aan de buitenkant op slot.

'En nu naar boven,' zei Lotje. 'Misschien is die mooie dame wel gewond. Laten we gauw die kamer zien terug te vinden. Hoort u ergens iets?' Ze luisterden even op de trap, maar ze hoorden geen geluid. Blijkbaar waren ze te diep beneden in het huis.

'We moeten in elk geval deze trap op,' zei juffrouw Knoops. 'En nu, geloof ik, zó. En dan deze gang door. Ja, hier zijn we geweest. Kunnen we nergens licht opdraaien? Zoek jij eens naar een knopje. O, ik geloof dat we nu die deur moeten hebben.'

Zij deed weer een deur open en ging erdoor, met Lotje op haar hielen.

'Weer een trapje,' zei Lotje. Ze stommelden het trapje af en kwamen alweer in een gang.

Wat een gek huis, dacht Lotje. Het hangt van trapjes en

gangen aan elkaar. Maar – nu stonden ze beiden plotseling stokstijf stil. Deze gang... er waren mensen... er zaten aan weerszijden van de gang mensen. In het donker. Heel stil. En daarnaast weer mensen. Hele rijen zwijgende mensen. Het was...

'De bioscoop...' fluisterde Lotje.

'We zijn weer in de bioscoopzaal...' zei juffrouw Knoops.

'Sssst,' werd er dringend gefluisterd. 'Wees toch stil!'

Juffrouw Knoops en Lotje liepen een eindje langs het gangpad en ze vonden twee plaatsen, waar ze volkomen verbijsterd gingen zitten. Voor hen was het doek.

'Daar zijn wij uit gekomen,' zei juffrouw Knoops, nog hijgend. 'Kijk, daar is die kamer.'

Lotje keek. Het wás die kamer. Diezelfde antieke kast, het tafeltje, de Perzische kleden, de flessen en de glazen en de tijdschriften. Maar het mooie jonge meisje stond nu naast de piano in haar groene jurk.

'Ze is niet gewond, gelukkig,' zei Lotje. 'En de jongeman ook niet. Kijk, er is al een agent bij.'

'Ah, ze hebben de politie gebeld,' zei juffrouw Knoops. 'Dat is wijs. Nu zoeken ze naar die langhals.'

Ze zagen het meisje, de jongeman en de agent de gang in gaan, lichten opdraaien en het huis doorzoeken. Ze zagen de kamers en de lange gangen waar ze zelf zoëven in het donker doorheen waren gestommeld. Nu en dan wees de agent op gebroken vazen en omgegooide tafels.

'Hij zit in de kolenkelder,' siste juffrouw Knoops luid.

'Ja,' riep Lotje. 'In de kolenkelder moet u zoeken!'

'In de kolenkelder,' riep juffrouw Knoops nog eens hard.

'Sssssst...' riepen de mensen om hen heen. 'Weest u toch stil!'

'Nou, dan moeten ze 't zelf maar weten,' zei juffrouw Knoops.

Maar het was of de agent op de film hun woorden toch had

gehoord. Hij ging nu tenminste regelrecht de steile trap af, en de kolenkelder binnen. En toen was het nog maar een kwestie van enkele minuten. De boef werd overweldigd en geboeid. Het jonge meisje ging met haar jongeman op de veranda zitten, in de maneschijn. En ze omhelsden elkaar.

'Kijk, *onze* veranda...' fluisterde juffrouw Knoops.

'De vos!' gilde Lotje plotseling.

'De vos!' stamelde juffrouw Knoops.

Het jonge meisje op de film had de vos om haar hals. *Hun* vos. De vos van juffrouw Knoops. Blijkbaar had ze het ding omgeslagen, voor ze naar de veranda ging, want daarvóór had ze het niet aangehad.

'Mijn vos...' zei juffrouw Knoops verontwaardigd. 'Wacht, ik zal 'm eens even gaan halen.'

'Niet doen...' zei Lotje en hield haar stevig vast aan een mouw. 'Niet in de film gaan.'

'Je hebt gelijk,' zuchtte juffrouw Knoops. 'Maar het is toch schandalig!'

'Ze legt 'm neer,' zei Lotje.

Het meisje op de film had de vos van haar schouders afgenomen en liet het ding achteloos op de grond glijden.

'Waar ligt ie nou?' vroeg juffrouw Knoops. 'Kun jij 'm zien.'

Lotje rekte zich, maar daar beneden op de vloer van de veranda was het donker. Ze zag niets.

Het meisje en de jongeman omhelsden elkaar nog eens. Er klonk muziek van een groot orkest. De film was uit. De lichten gingen aan; de mensen stonden op en gingen de zaal uit. Juffrouw Knoops keek Lotje aan.

'Dit was de hoofdfilm,' zei ze. 'Begrijp je nou zoiets, Lot? We zijn de voorfilm in gegaan, en we zijn de hoofdfilm uit gekomen. En onze vos is in de hoofdfilm gebleven.'

'Nee,' zei Lotje. 'Dat geloof ik niet.' Ze bukte zich en raapte iets op.

'Astublieft,' zei ze. En ze reikte juffrouw Knoops de vos.

'Goeie genade...' prevelde juffrouw Knoops en ze durfde het beest bijna niet vast te pakken. Toch was het haar eigen vos, met de klauwtjes en de staart en het rossige kopje met de bruine oogjes. Gewoon een slap vossebont.

'Weet je wat het is, Lotje? We hebben het gedroomd,' zei juffrouw Knoops. 'Heb jij het ook gedroomd, dat we de film in liepen en al die avonturen beleefden?'

'We hebben het niet gedroomd,' zei Lotje. 'Kijk maar, hoe vuil we zijn. En uw schoenen. Waar zijn uw schoenen?'

'O jee,' kreunde juffrouw Knoops. 'Die staan nog in het bos!'

'Gaat u niet naar huis?' vroeg een vriendelijke bioscoopjuffrouw. 'De voorstelling is afgelopen. Wij sluiten.'

Toen ze buiten kwamen, zagen ze dat het pikdonker was op straat. En op de torenklok zagen ze de wijzers op half twaalf staan.

'Wel heb ik van m'n leven,' zei juffrouw Knoops. 'Vanmiddag zijn we naar de bioscoop gegaan. We zijn toen de voorfilm in gelopen en nu vanavond bij de tweede voorstelling zijn we de hoofdfilm weer uit gekomen.'

'Het komt allemaal door de vos,' zei Lotje. 'De vos had heimwee naar het bos en is er in gelopen, toen hij zijn kameraadjes zag. Maar de andere vosjes wilden hem niet meer kennen, denk ik, want hij rook zo naar kamfer. He? Jij rook zo naar kamfer...' zei Lotje tegen de vos om juffrouw Knoops' hals.

'Toen heb je ons weer opgezocht,' zei Lotje tegen de vos. 'Je dacht: Als ik dan toch niet meer bij mijn kameraadjes mag zijn, laat ik dan maar weer teruggaan. Is het niet?' Het vosje keek haar aan, maar het zei niets.

'Och meid,' zei juffrouw Knoops. 'Wat fantaseer je toch.'

'Ja,' zei Lotje. 'Zo moet het gegaan zijn. Ons vosje heeft toen de uitgang naar de bioscoopzaal weer teruggezocht. Of de ingang, wat moet ik eigenlijk zeggen. In elk geval kwam hij, net als wij, in de hoofdfilm terecht. En is er op 't állerlaatste moment uit gelopen. En weet u, wat ik me nou afvraag? Zou die film anders zijn afgelopen, als wij er niet geweest waren?'

'Jij loopt maar te praten...' klaagde juffrouw Knoops. 'En hier staan we op straat, vuil en bemodderd. En ik zonder schoenen. O, daar is een broodjeswinkel. Laten we een broodje eten met een glas melk, 't is nu tóch laat.'

Toen ze in een broodje met ham hapten, voelden ze pas, hoe erg hun honger was. 'Mmmm...' zei Lotje, 'wat fijn! En wat hebben we een heerlijke dag gehad.'

'Welja...' bromde juffrouw Knoops. 'Noem het maar heerlijk. Enfin, ik heb m'n vos terug, al ben ik m'n schoenen kwijt. Denk erom, Lot, dat je hier met geen mens over praat. Iedereen zou ons voor gek verklaren als we het vertelden. Stel je voor, dat ik aan mijn vriendinnen vertelde: We zijn naar de bioscoop geweest en we zijn de voorfilm in gelopen, en 's avonds kwamen we er in de hoofdfilm weer uit! Stel je voor, dat ik dat vertelde. Ze zouden me stellig voor getikt houden.'

'Mag ik het dan aan mijn vriendinnetjes thuis vertellen?' vroeg Lotje.

'Ga je gang maar. Kom, nu nemen we een taxi, want ik ga niet op mijn kousevoeten naar huis.'

Toen ze in de taxi zaten, vuil en moe, lag Lotje slaperig tegen de schouder van juffrouw Knoops aan. En ze dacht: Wat heerlijk was het. En wat jammer dat het nu uit is. Maar... besloot ze, als ik in de kerstvakantie weer in de stad ga logeren, dan wil ik beslist naar de cinemascope. Op m'n eentje. En dan ga ik de film weer in...

Toen de taxi stopte, moest juffrouw Knoops een slapende Lotje de trap van het huis op dragen.

Kacheltje

Was eens een kacheltje, dik en rond,
met een zwart buikje,
met een zwart buikje,
dat in de zomer op zolder stond
en met vanonder een luikje
en met vanboven een klepje,
maar wat je hebt, dat heb je.

Kacheltje werd in de kamer gezet
met een plat buisje,
met een plat buisje.
Kindertjes, kindertjes, opgelet,
nou wordt het warm in 't huisje,
nou wordt het warm aan de voetjes.
Kacheltje zingt zo zoetjes:

Snorre snorre snorre,
't is winter in de wei.
Snorre snorre snorre,
kom er óók maar bij.

En met z'n buik vol antresiet
staat ie te ronken,
staat ie te ronken.
Buiten is 't koud maar binnen niet,
ja maar pas op voor de vonken,
ja maar pas op voor de hitte,
ga maar op 't krukje zitten.

Kinderen kinderen, kom in huis
voor 'n verhaaltje, voor 'n verhaaltje.
Potje met soep staat op de buis

naast kleine Piet z'n sjaaltje,
naast kleine Piet z'n wantjes,
die met die blauwe randjes.

Snorre snorre snorre,
't is winter in de wei.
Snorre snorre snorre,
kom er óók maar bij.

Was eens een kacheltje, dik en rond,
met een rood buikje,
met een rood buikje,
dat in de winter te brommen stond
en met vanonder een luikje
en met vanboven een klepje,
ja wat je hebt, dat heb je.

De kip Catootje

Kom nou 's kijken, riep de haan,
kom allemaal 's naast me staan!
Kijk nou eens wat er is gebeurd:
hier ligt een ei, dat is gekleurd!
Heb jij dat ei gelegd, Cato?
Hoe komt dat zo?

Het ging vanzelf, zei kip Cato,
of wacht 's even... het ging zó:
ik zat hier op dat ei te wachten
en toen kreeg ik een paasgedachte.
Ik keek heel dromerig naar buiten
en hoep! een ei met roze ruiten
en blauwe bloempjes op de schaal.
Is het niet beeldig allemaal?

Foei, riep de haan, wat wuft en slecht!
Wie heeft er ooit zo'n ei gelegd!
Een kippe-ei is altijd wit
en niet zo kakelbont als dit.
Juist! riepen alle kippen kwaad.

Een paasgedachte! Inderdaad!
Je hoort niet meer bij ons, ga weg!
Ga ergens anders aan de leg.
Ga liever naar een andre buurt!
En kip Cato werd weggestuurd.

Daar liep ze, eenzaam over 't veld,
verlaten en teleurgesteld,
en na een lange, lange reis
kwam ze bij 't Koninklijk Paleis.
En op de Koninklijke Stoep
stond kip Catootje stil, en hoep,
ze lei een ei met allemaal
gekleurde haasjes op de schaal.

De koning die voor 't venster zat,
en die nog niet ontbeten had,
liet kip Catootje binnenkomen
en zij werd teder opgenomen.
Zij kreeg een Koninklijke Worm
en iedereen vond haar enorm.
Ze werd tot Hof-leghorn benoemd.
En nu is kip Cato beroemd.

Zij heeft een fraaie ridderorde.
Zij eet haar graan van gouden borden,
en zij zit 's morgens aan 't ontbijt
op schoot bij Zijne Majesteit,
en legt daar voor de koningszoontjes
een ei met beeldige patroontjes.

Het Stoute-Kinderen-Huis

Aan de weg naar Hellemansluis
staat het Stoute-Kinderen-Huis,
allemaal kinderen wonen daar,
honderd kinderen bij elkaar,
allemaal willen ze stoute dingen:
heel hard schreeuwen en heel hard zingen,
gillen van: Hoe! en gillen van: Hei!
Is daar dan geen meester bij? Ja zeker.

Meester Joachim B. de Waard
heeft een griezelig lange baard,
meester Joachim is altijd
buiten zich zelf van kwaaiigheid.
Stilte, roept hij, bengels, vlegels,
allemaal krijg je honderd regels!
Maar de kinderen roepen: bèèèè!
o, o, o, wat schandelijk, he? Ja zeker.

's Morgens zie je die kinderen gaan,
joelend over de oprijlaan,
trekken aldoor aan de baard
van meester Joachim B. de Waard,
klimmen in bomen en hangen aan hekken,
tieren en gillen en schreeuwen als gekken.
Zeg eens, hoor jij ook niet thuis
in dat Stoute-Kinderen-Huis? J-... Nee toch?

De slaapwandelende vorst

In San Carazzo woont een vorst,
die wandelt in zijn slaap.
Zo 's avonds laat om een uur of elf
dan wandelt hij uit zijn slaapgewelf.
Hij kan het niet helpen, hij zegt het zelf:
Ik deed het reeds als knaap.

Hij wandelt over de wenteltrap,
hij wandelt het dak op en neer.
Hij staat in de goot in zijn nachtgewaad
en iedere keer als de vorst daar staat,
dan zeggen de mensen beneden op straat:
De vorst! Hij doet het alweer!

Dan doet er geen mens een oog meer dicht,
geen mens in San Carazzo.
Ze staan maar te kijken, ze roepen niet: Hee!
Dat mag niet dat mag niet, want als je dat dee
dan viel hij misschien wel ineens naar benee,
pardoes op het terrazzo.

Gelukkig heeft hij een wijze vorstin,
die blijft dan ook altijd wakker.
Ze kijkt uit het raam van de ping-pong-zaal,
daar wandelt hij weer, haar heer gemaal.
Dan zegt ze: Het is weer de oude kwaal,
daar wandelt hij weer, de stakker.

Dan kamt zij haar lange gouden haar,
dan doet zij haar gouden peignoir an.
Zij roept aan de voet van de wenteltrap:
Amandeltjesrijst met bessesap!
Dan komt hij beneden, stap voor stap,
de vorst, en zegt slaperig: Waar dan?

Hij eet een bord vol amandeltjesrijst
en dan valt hij weer in slaap.
Maar eventjes mompelt de vorst dan toch:
Ik wandel 's nachts in mijn slaap, maar och...
Ik wandel op 't dak, nou wat dan nog?
Ik deed het reeds als knaap.

Moeder Watja, dochter Datja en de Boswezens

Moeder Watja woonde met haar dochter Datja midden in een ontzaglijk groot bos, een bos waar geen eind aan kwam.

En wat deden ze voor de kost, denk je? Ze maakten jam van bosbessen en bramen en ze maakten puree van paddestoelen en die verkochten ze eenmaal per maand in de stad. En daar leefden ze van.

Ze waren heel gelukkig en tevreden, totdat er op een dag iets heel verschrikkelijks gebeurde. Precies op de zestiende verjaardag van Datja kwam er uit het bos een afschuwelijk monster en voerde haar weg.

Moeder Watja was radeloos, wrong haar handen en riep maar aldoor: 'O, mijn lieve Datja, o, mijn Datja.' Maar ze begreep wel dat ze met handenwringen niet veel verder kwam en daarom ging ze achter het monster aan om te kijken waar Datja gebleven was. En ze kwam er al gauw achter dat het monster een Boswezen was en dat hij Datja had meegenomen naar het Hol van de Boswezens. Dat waren gruwelijke wezens met nagels als klauwen en roofdiergezichten en groene ogen en grote bossen ruig haar. Ze hadden een koning, een Opperboswezen, die met Datja wilde trouwen. Dezelfde avond zou de bruiloft gevierd worden. Stel je voor, die lieve Datja.

Moeder Watja liep schreiend door het bos en wist niet wat ze moest beginnen. Een vriendelijke, jonge houthakker, die bezig was met houthakken, vroeg: 'Wat scheelt eraan, moedertje?'

'O, mijn dochtertje Datja is meegevoerd door de Boswezens. En nu moet ze vanavond bruiloft vieren met het Opperboswezen!'

De houthakker liet zijn bijl rusten en dacht een tijdlang diep na.

'Ik weet niet precies, wat ik eraan moet doen, moeder,' zei hij, 'maar maak je geen zorgen, ik zal wel maken, dat je dochtertje vanavond weer bij je thuis is.'

Moeder Watja ging naar huis, een beetje gerustgesteld en de houthakker dacht de hele dag na. 's Avonds wist hij nog niet wat hij doen moest en daarom liet hij het maar aan het toeval over. Hij nam zijn bijl en hij nam een bos touw en ging op weg.

Toen hij bij het hol van de Boswezens kwam, hoorde hij aan het schorre gejuich dat de bruiloft al aan de gang was. Hij sloop door het struikgewas en ging achter een bosje zitten, zodat hij precies in het verlichte hol kon kijken.

In het midden was een ruwhouten tafel, daar zat het Opperboswezen. Hij was nog afschuwelijker om te zien dan de rest, hij had vuursproeiende groene ogen, een gezicht als van een beer en harige klauwen. Naast hem zat die arme Datja, heel bleek en angstig en om hen heen dansten de Boswezens een griezelige bosdans.

De houthakker kreeg zo'n medelijden met het arme meisje, dat hij ineens wist, wat hem te doen stond. Hij maakte van het touw een heleboel kleinere touwen met lussen en maakte het geluid van een wolf na, zo goed en zo echt, dat alle Boswezens ineens van schrik stil werden. 'Ga eens gauw kijken, waar de wolf zit,' zei het Opperboswezen.

Een van hen ging naar buiten, maar nauwelijks was hij uit het hol of, floep! daar had hij een lus om zijn kop en was gevangen. De houthakker bond hem stevig vast aan een boom en wachtte op de volgende. En stuk voor stuk stuurde het Opperboswezen al zijn Boswezens het hol uit, en stuk voor stuk werden ze met een lus om hun kop gevangen, net zolang tot het Opperboswezen nog maar alleen daar zat, naast de kleine Datja.

Toen ging de houthakker dapper naar binnen, nam zijn bijl en sloeg dat lelijke Opperboswezen met één slag de kop af. Hij nam Datja bij de hand en voerde haar mee naar Moeder Watja, die dolgelukkig was.

En na een poosje trouwde de dappere houthakker met de kleine Datja en ze leefden heel lang en gelukkig met z'n drieën in het grote bos, dat bos, waar geen einde aan komt.

Vissenconcert

Omdat de vissen zich zo vervelen...
omdat het leven zo treurig werd,
gaan ze een beetje piano spelen,
geven ze samen een groot concert.
Twee kleine vorentjes
spelen op horentjes
en een sardientje speelt op zijn fagot.
Hup falderie, zegt de bot.

Sommige baarzen en sommige blieken
houden van Mozart en Mendelssohn;
willen alleen maar dat hele klassieke
en het klinkt allemaal wonderschoon.
Een der forellen
speelt *Unter den Wellen*
heel in z'n eentje gezapig en kalm...
Schei daar mee uit... zegt de zalm.

Laten we allemaal 't zelfde spelen,
dat is veel prettiger bij een orkest.
En al de snoeken en al de makrelen
beginnen opnieuw en ze doen zo hun best.

Enkel de oester
speelt woester en woester,
hij heeft bijzonder veel temperament.
Husj... zegt de dirigent.

Voor in 't orkest zitten veertig garnalen.
En de solist is een stokoude kreeft;
hij heeft dat innige muzikale
wat men maar zelden heeft.
Vier kleine karpertjes
spelen op harpertjes,
spelen het vissenkwartet tot besluit.
Pringgg... en dan is het uit.

Iedereen klapt enthousiast in zijn vinnen
en twee bekoorlijke zeemeerminnen
zeggen: Dit willen we nimmer meer missen!
Iedere week een concert van de vissen!

Het toverstokje

Toen Hansje Pansje Pingeling
vanmorgen vroeg naar buiten ging,
toen vond hij bij het kippenhok
een toverstok.

Hij ging naar huis toe, heel bedaard.
Daar zat zijn vader bij de haard
en Hans zei: Hokus, Pokus, Pas,
ik wou dat jij een vogel was.

Zijn moeder keek hem angstig aan
en riep: Wat heb je nu gedaan?

Maar Hans zei: Hokus, Pokus, Pas,
'k wou dat jij óók een vogel was.

Toen waren bei z'n ouders mezen!
Wie heeft er ooit zo iets gelezen!
Ze zaten in een boom te fluiten
en Hans ging dadelijk naar buiten

en hij veranderde twee heren
in hele grote bruine beren
en hij veranderde twee vrouwen
in hele mooie witte pauwen.

Hans ging naar school en kwam daar binnen
en ging er dadelijk beginnen:
de juffrouw werd meteen een paard.
De meester werd een mokkataart.

Maar alle kinders die er zaten,
die heeft hij rustig zo gelaten.
Jeroen en Kees en Hein en Piet,
nee, die veranderde hij niet.

Alleen de grote mensen maar,
de hele stad door, hier en daar.
Zo liep ons Hansje op een drafje
en zwaaide met zijn toverstafje.

Meneer Van Dijk, de burgemeester,
veranderde hij in een heester
en juffrouw Bos, een lieve dame,
die werd een pot met twee cyclamen.

En alle kinders gingen mee:
ze vonden het zo'n leuk idee!
En telkens als er iemand werd
veranderd in een koe of hert,

dan riepen ze heel hard: Hoera.
Het was een heerlijk spel, maar ja,
er was na veertien uur getover
geen een volwassene meer over.

De kinders konden alles doen.
Ze speelden rover in 't plantsoen,
de hele dag en hele nachten
en niemand die er op hen wachtte.

Maar gek, dat altijd rover spelen,
dat ging verschrikkelijk vervelen
en zij werden vuil en vies en groen
en niemand gaf hun ooit een zoen.

En ze verlangden zo naar huis...
maar ja, hun vader was een muis,
hun moeder was een ander beest...
Wat waren ze toch dom geweest.

Ze gingen zitten, in een kring
en Hansje Pansje Pingeling
zei: Hokus, Pokus, Wielewaal!
En alles was weer heel normaal!
Hun vaders en hun moeders waren
geen mezen meer, of ooievaren
maar heel gewone grote mensen.
Wat kun je je nog beter wensen?

Alleen de meester is verdwenen
vanaf zijn haren tot zijn tenen.
Hij was een taartje moet je weten,
en iemand heeft hem opgegeten.

Dries versloeg de Weerwolf

In het midden van het hartje van het binnenste van het Muiskleurig Gebergte woonde de Weerwolf.

Hij was groot en verschrikkelijk. Zijn ogen sproeiden vuur en zijn tong had karteltjes. Lange witte scherpe tanden had hij en iedere avond om zes uur stiet hij een gebrul uit, waarvan het hele Muiskleurige Gebergte sidderde.

'Moeder, dat is de Weerwolf weer,' zeiden de kinderen van het dorp. Dan werden de luiken en de deuren met grendels afgesloten en iedereen kroop onder de dekens van angst en dan kwam de Weerwolf in het dorp. Dreunend kwam hij de berg af gedraafd, aldoor maar huilend en briesend en hij stormde de dorpsstraat in. Hij bonsde met zijn poten tegen de ramen en deuren, o, het was verschrikkelijk griezelig. En als hij eindelijk weer weg was, had hij wel twaalf geiten en dertig konijnen opgevreten. Maar wat kon je ertegen doen? Niemand wist het en alle mensen waren even bang en ongelukkig.

Maar toen de boze Weerwolf op een avond de oude overgrootmoeder van de gemeentesecretaris opvrat met huid en haar, toen werd het dorp zo vreselijk verontwaardigd! Nu moest er een eind aan komen. Er werd een vergadering gehouden, waar iedereen bij was en er werd besloten om met een grote groep sterke mannen naar het midden van het hartje van het binnenste van het Muiskleurige Gebergte te gaan en de Weerwolf in zijn hol aan te vallen.

Janus, de smid, ging voorop met een heel zware hamer en achter hem kwamen jonge stoere mannen met zeisen en bijlen en houwelen en spiesen en sabels en messen en broodzagen. En helemaal achteraan kwam de gemeentesecretaris, want hij was een behoedzaam man.

Ze gingen 's morgens vroeg, omdat de Weerwolf dan nog sliep en ze klauterden tot dicht bij zijn hol. Maar hij wérd wel wakker, die engerd! Er kwam eerst een allerakeligst gebrul uit zijn hol, toen een hele regen vonken, toen kwam de Weerwolf zelf. Hij stond een poosje stil op zijn eigen drempel en keek met een gruwzame blik naar buiten. En toen de mannen uit het dorp hem daar zo zagen staan, dat afschuwelijke beest met zijn moordmuil, toen werden ze toch zo danig bang! Of ze het hadden afgesproken, draaiden ze ineens allemaal om, met hun spiesen en houwelen en renden holderdebolder de berg af. Daar kwamen ze aan in het dorp, buiten adem en erg geschrokken. 'Nooit weer naar de Weerwolf,' zeiden ze hijgend tegen de vrouwen en kinderen, die stonden te wachten. 'Het is een duivels dier.' Alleen de gemeentesecretaris zei, dat hij wel op zijn eentje verder had gedurfd, maar dat was niet zo.

Nu was er een klein jongetje bij al die wachtende vrouwen en kinderen, en hij heette Dries. En hij dacht bij zich zelf: Moet die lelijke Weerwolf nu weer onze geiten en overgrootmoeders gaan opeten? Weet je wat, ik ga stiekem alleen erop af. En toen niemand keek, sloop hij weg en klom de berg op naar het hol van de Weerwolf. Om een beetje meer moed te krijgen, stak hij een stukje klapkauwgummi in zijn mond en begon te kauwen. Nu was hij een kunstenaar in het kauwen van klapkauwgummi. Hij kon hele lange draden trekken, hij kon een heel gordijn van kauwgom maken en daar mooie bobbels in blazen, en toen hij bij het hol van de Weerwolf kwam, had hij een reuzegroot vlak van kauwgom tussen zijn tanden. De Weerwolf sliep weer. En omdat Dries zo erg zachtjes dichterbij kwam, hoorde hij niets. Zonder blikken of blozen ging Dries het hol in. Hu, daar lag hij, de griezel!

Zijn bek was halfopen en zijn lange witte tanden staken

venijnig naar voren. Dries bedacht zich geen ogenblik, nam zijn gordijn van kauwgom en plakte die lelijke muil ermee dicht. Toen kauwde hij nog gauw een paar slierten erbij, wond ze om zijn muil en ziezo, dat was dat!

De kleine Dries sloop het hol uit, ging achter een bosje zitten en wachtte tot de Weerwolf wakker werd. Dat gebeurde na een half uur. De Weerwolf wilde brullen, maar zijn tong raakte verward in het kauwgom, zijn tanden plakten aan elkaar, het kauwgom kwam in zijn neus en in zijn ogen, hij grolde en bromde en probeerde met zijn poten het spul kwijt te raken, maar het lukte hem niet, hij kwam aldoor vaster in de gom te zitten, tot er eindelijk een stuk in zijn keel schoot en de Weerwolf stikte.

Dries, de kleine jongen, danste vol vreugde om het verslagen beest en holde naar beneden om te vertellen wat er gebeurd was. Dat was een blijdschap in het dorp. Iedereen ging kijken en er werd een groot feest gehouden, waarbij Dries met een bloemenkrans om zijn hoofd werd rondgedragen.

De mislukte fee

Er was er 's een moeder-fee.
En had ze kindertjes? Ja, twee.
Twee kleine feeënkindertjes
met vleugeltjes als vlindertjes.
Ze waren beiden mooi en slank,
maar 't ene kind was lelieblank,
zoals de feetjes wezen moeten
en 't andere kind zat vol met sproeten.

De moeder was heel erg ontdaan.
Ze waste 't kind met levertraan,
met katjesdauw, met tijgermelk,

ze doopte 't in een bloemenkelk,
maar 't hielp geen steek, o nee, o nee,
het was en bleef een sproetenfee.

M'n dochter, zei de moeder toen,
nu kan ik niets meer aan je doen.
Je bent als fee (zacht uitgedrukt)
volledig en totaal mislukt.

Ga naar de koning Barrebijt
en zeg daar: Uwe Majesteit,
m'n moeder doet de groeten.
Ik ben een fee met sproeten.

Wellicht neemt koning Barrebijt
je dan in dienst als keukenmeid.
Die man heeft altijd wel ideeën
voor min of meer mislukte feeën.

Het feetje ging direct op weg.
Het sliep 's nachts in de rozenheg
en 't prevelde de hele tijd:
O Sire, Uwe Majesteit,
m'n moeder doet de groeten.
Ik ben een fee met sproeten.

En toen ze aankwam in de stad
stond ze te trillen als een blad.
De koning opende de deur
en zei: Gedag, waar komt u veur?

En wit van zenuwachtigheid
zei 't feetje: Uwe Majesteit,
m'n moeder doet de groeten.
Ik ben een spree met foeten.

Wel, sprak de koning heel beleefd,
ik zie wel dat u voeten heeft,
maar u bent, op mijn oude dag,
de eerste spree die ik ooit zag.

Toen heeft hij dadelijk gebeld
en 't hele hof kwam aangesneld.
De koning zei: Dit is een spree.
Iets héél bijzonders. Geef haar thee
en geef haar koek. En geef haar ijs.
Ze blijft hier wonen in 't paleis.

Nu woont het feetje al een tijd
aan 't hof van koning Barrebijt
en niet als keukenmeid, o nee!
Ze is benoemd tot opperspree.

Ze heeft een gouden slaapsalet
en gouden muiltjes voor haar bed.
En alle heren aan het hof
die knielen voor haar in het stof.
Waaruit een ieder weer kan lezen
dat men als fee mislukt kan wezen
maar heel geslaagd kan zijn als spree.
Dit stemt ons dankbaar en tevree.

Het hemelse trompetje

Op een keer, nog niet zo lang geleden, zaten er zes engeltjes in de kelder van de hemel te spelen op hun instrumentjes. Misschien vroeg je je wel eens af of er een kelder in de hemel is? Maar natuurlijk is er een kelder in de hemel. Daar wordt de wijn bewaard en de appelen liggen er in rekken te geuren in de herfst.

Die zes engeltjes waren in de kelder gaan zitten, omdat hun muziek daar bijzonder mooi klonk tussen de booggewelven. Eentje speelde viool en eentje speelde bas bas bas. Er was een klarinet, er was een pietepeuterig paukje en het kleinste engeltje, het kleinste en liefste engeltje speelde op een koperen trompetje.

Dit trompetje klonk boven alles uit, het had een allerprachtigste toon, schril en toch zoet en wollig en mollig, het jubelde als een leeuwerik met een versterker, het was niet te geloven.

Terwijl de engeltjes aan het spelen waren, kwam de oude tuinman-engel voorbij en bleef staan luisteren voor de tralies van het kelderraam. Hij stond daar tot het stuk uit was. Toen klapte hij in zijn handen en riep: 'Bravo!'

Och, dat had hij niet moeten doen. Het kleinste (en liefste) engeltje schrok zo van die onverwachte stem dat hij zijn koperen trompetje liet vallen. Het rolde over de keldervloer, het rolde en rolde...

'Mijn trompetje,' riep het engeltje en greep ernaar, maar het was te laat. Voordat iemand het kon pakken, verdween het trompetje tussen de spijlen van het rooster in de vloer.

Onder de keldervloer waren de wolken. Het trompetje viel en viel en viel door al de wolken heen. Het kwam terecht op de aarde. Het kwam terecht in een stadspark, waar een paar jongetjes bezig waren met bootje varen op de vijver. Ze lieten hun scheepjes varen terwijl ze intussen luisterden naar een heel kleine radio die in het gras stond. Een van de jongens zag het trompetje vallen. Even dacht hij dat het de neus van een maanraket was, want dat denken jongens als ze iets uit de lucht zien vallen. Maar toen het met een plof voor zijn voeten viel, raapte hij het op. 'Wat een leuk trompetje,' zei de jongen. En hij blies erop. Zodra hij erop blies, kwam er een hoge toon uit, schril en toch zoet en wollig en mollig en onbeschrijflijk heerlijk.

Voor de jongen er erg in had, speelde hij een heel liedje en zo blij was hij met de trompet, dat hij bleef spelen, heel lang. De andere kinderen kwamen om hem heen staan om te luisteren. De een na de ander ging thuis een fluit halen of een mondharmonika of een slagwerkje. Voor de ochtend om was, hadden de kinderen een fijn orkest daar aan de vijver en ze speelden zo geestdriftig dat alle voorbijgangers een poosje bleven staan en in de handen klapten.

Maar het engeltje, dat kleinste en liefste engeltje, dat ineens zijn trompet had zien verdwijnen door het kelderrooster... wat deed hij? Hij was wanhopig en hij fladderde en fladderde en liet zich niet troosten, neen o neen, hij wilde niet getroost worden, door niemand. Met zijn kleine vlerkjes fladderde hij rond door de groene tuinen van de hemel, net zolang tot hij een gat vond in de hemelheg. Daar kroop hij door en hij vloog weg, de ruimte in, naar de aarde. Het was een lange tocht en hij voelde zich verlaten tussen de grote grauwe wolken die daar langs hem zeilden. Het stormde en hij deed zijn oogjes toe en liet zich vallen vallen vallen met dichtgeklapte wiekjes, omdat de wind hem pijn deed.

Toen hij zijn ogen opendeed, zag hij onder zich de aarde. Hij zag de witte sneeuwbergen, de bruisende groene rivieren en de bruine akkers. Hij zag de huizen, de treinen en vlak naast zich zag hij ineens een groot passagiersvliegtuig waar hij ontzettend van schrok. (De mensen in het vliegtuig zagen hem ook en schrokken nog harder.) Het was voor het engeltje allemaal een tikje te veel en hij sloeg gauw zijn vleugels uit om niet al te hard neer te komen. Juist op tijd sloeg hij zijn vleugels uit; zacht en vederlicht kwam hij neer. Daar zat hij, wreef zich in de ogen en liet zich rijden. Zeker, hij liet zich rijden. Want hij was terechtgekomen op een versierde wagen van een bloemencorso. Boven op een zwaan van witte anjers was hij terechtgekomen. Dat was wel een gelukkig toeval. Het was zacht en bovendien vond niemand het gek. Alle mensen aan de kant van de straat keken naar hem en vonden het heel gewoon dat er een engeltje tussen de bloemen meereed in de stoet. 'Aaaahh...' riepen de mensen vol bewondering, 'wat een lief engeltje, het lijkt verdorie wel een echt engeltje... van wie zou dat een kindje zijn...? Wat hebben ze dat kindje leuk verkleed als engeltje... kijk toch eens... aaaaaah.'

Het was een mooie optocht. Voor hem reed Doornroosje en achter hem een draak van dahlia's. Maar langs de weg was het een gedrang en een tumult en het engeltje dacht een beetje benauwd: Hoe vind ik ooit mijn trompetje tussen al die mensen?

Toen de stoet aan het eind van de route was gekomen, had de witte zwaan de eerste prijs gewonnen. Dat kwam door het engeltje en het gejuich van de mensen was overweldigend. Iedereen kwam rond de wagen staan en het engeltje werd nu

echt bang. Ik wil niet, ik wil niet, dacht hij en hij sloeg zijn vleugels uit en vloog weg van de wagen, regelrecht in een open raam van een huis aan de straat.

In het huis woonde een oude vrouw die niet zo bijster goed van gezicht was. Ze zag iets door de kamer fladderen, ze hoorde het geluid van vleugels en ze werd boos.

'Mies,' riep ze naar de keuken. 'Mies, daar is weer een meeuw in de kamer.'

Mies kwam uit de keuken aanhollen en vroeg: 'Waar dan?'

Het engeltje verstopte zich haastig achter de televisie. Het hield zich muisstil.

'Het was een meeuw,' zei de oude dame snibbig. 'Waar is-ie nou... O kijk, daar gaat ie. Het engeltje vloog door het achterraam weer naar buiten in grote angst en de huishoudster liep achter hem aan met de zwabber. Maar hij verstopte zich opnieuw, nu tussen de rododendronstruiken en bleef daar zitten tot het begon te schemeren. Toen, in de schemering, fladderde hij voorzichtig van de ene tuin in de andere, boven de jasmijn, tussen de geurende rozenhagen, tot hij in het stille park terechtkwam. Er stond daar een groot modern beeldhouwwerk. Het engeltje kon niet zo goed zien wat het voorstelde, maar ergens in het beeld was een holte waar hij net in paste. Doodmoe en onbeschrijflijk treurig vouwde hij zijn vleugeltjes dicht en sliep. Vroeg in de morgen werd hij wakker doordat een paar voorbijgangers stilstonden en over hem begonnen te praten.

'Wel een mooi beeld,' zei de een.

'Ja, maar dat engeltje is smakeloos,' zei de ander.

Toen liepen de stemmen door en het engeltje gluurde vanuit zijn hoekje. Hij was een tikje beledigd, omdat ze hem een smakeloos engeltje hadden genoemd, maar lang bleef hij niet wrevelig, want de zon scheen en de perken bloeiden blauw en roze en duizend bijen zoemden tegelijk.

Het was een prachtige ochtend. Hij hoorde een vogel zingen. Hij zag het sprankelend water van een fontein, hij hoorde nog veel meer vogels zingen en daarbovenuit hoorde hij... hoorde hij... hoorde hij... een schrille toon, schril en toch zoet en wollig en mollig. 'Mijn trompetje...' fluisterde het engeltje, 'mijn eigen lieve trompetje.' Hij wachtte geen moment meer en vloog op het geluid af.

Achter een boom vond hij het jongetje dat ernstig aan het blazen was op zijn trompet. Het engeltje ging in de boom zitten en gluurde door de takken.

'Pssst...' fluisterde het engeltje.

Het jongetje keek naar boven.

'Hallo,' zei hij.

'Dat trompetje dat je daar hebt,' zei het engeltje, 'dat is mijn trompetje.'

'Is het heus?' vroeg de jongen teleurgesteld. Het verbaasde hem wel een beetje, een engeltje te zien daar vlak boven hem, een echt engeltje met vleugels van veren, maar aan de andere kant was dit jongetje gewend zich te verbazen. De hele dag deed hij niets anders dan zich verbazen over alles wat hij zag en hoorde en rook en aanraakte en daarom kwam deze verbazing niet erger aan dan andere verbazingen.

'Zo,' zei hij, 'is dat jouw trompetje. Ik dacht het wel... vandaag of morgen komt de eigenaar het wel terughalen, dat dacht ik al lang.' En bij deze woorden keek het jongetje zo treurig en zo wanhopig dat het engeltje medelijden kreeg.

'Ik heb het nodig, zie je,' zei het engeltje aarzelend. Maar toen hij nog eens keek naar de teleurgestelde ogen van de jongen, voegde hij er haastig bij: 'Als je het erg graag wil houden dan mag je het wel hebben.'

'O asjeblief,' zei de jongen. 'O asjeblief. Straks komen de andere kinderen om met mij samen te spelen. Dus ik heb het ook nodig. Weet je wat, als ik jouw trompetje mag houden, dan krijg jij van mij... dan krijg jij van mij...' De jongen keek om zich heen om gauw te verzinnen wat hij in ruil zou kunnen aanbieden. 'Mijn bootje!' besloot hij.

Het engeltje schudde zijn hoofd. 'Ik heb al een bootje,' zei hij.

De jongen voelde in zijn zakken en beet op zijn nagels. Toen verhelderde zijn gezicht en hij riep: 'Ik weet het al. Jij krijgt mijn radiootje in plaats van het trompetje. Heb je toch muziek.' En hij pakte het kleine transistorradiootje dat daar naast hem stond in het gras en gaf het aan het engeltje.

'Dank je wel,' zei het engeltje. Hij had nog nooit een radiootje gehad en vond het enig om er een te hebben.

'Je moet aan deze knop draaien,' zei de jongen.

'Dank je wel,' zei het engeltje nog eens, greep het hengseltje van het radiootje, sloeg zijn vleugeltjes uit en vloog loodrecht omhoog naar de hemel.

De jongen keek hem lang na en zag eindelijk het engeltje verdwijnen in de blauwe lucht. Hij blies op zijn trompet tot afscheid en dadelijk kwamen de kinderen uit de buurt aanrennen met hun muziekinstrumenten. Ze wilden weer muziek maken. 'Waarom kijk je zo naar boven?' vroegen ze. 'Wat zie je daar?'

'O niets,' zei de jongen. 'Laten we maar beginnen.' En ze speelden de hele ochtend in het park.

Het engeltje kroop door hetzelfde gat in de hemelheg terug, met zijn radiootje en daar zat het, midden op het gazon, een beetje moe en met vlerkjes die wat rafelig waren van de wind en de avonturen.

Al heel gauw zat er een grote groep engelen om hem heen. 'Waar ben jij geweest?' vroegen ze. 'Waar heb jij zo lang gezeten? En wat heb je daar meegebracht?'

Het engeltje zei niets maar draaide aan een knopje. Er kwam een hele stroom muziek uit het radiootje en de engelen bleven verbaasd luisteren. Ze legden algauw hun eigen instrumenten neer: alle harpen en bazuinen werden aan de kant gezet en een paar oudere engelen zeiden tevreden: 'Wel wel, dat is makkelijk en dat is praktisch. We hoeven zelf niet meer te spelen, het wordt voor ons gedaan, kom, laten we gaan breien bij de radio.'

Maar niet ver van het groene hemelgazon was de Grote Studeerkamer waar vader God zat te lezen. Hij was zo verdiept in zijn boek dat hij niet meteen en onmiddellijk hoorde dat er iets bijzonders aan de hand was. Maar plotseling legde hij het boek neer en luisterde scherp. Hij stond op en keek door het raam. Daarbuiten zag hij een grote groep engelen. Sommigen zaten, sommigen lagen op het gazon. In hun midden stond een klein doosje dat muziek afgaf.

Er kwam een grote frons op het voorhoofd van vader God. Door de openslaande deuren van de Studeerkamer schreed hij naar buiten. Het begon te waaien in de tuin en er kwam een geluid van een machtig en boos onweer met ratelende donderslagen. De gouden regen zwiepte heftig heen en weer, het werd donker en de engelen schrokken en hielden angstig hun hand voor de ogen. Behalve het kleinste engeltje, dat sprakeloos toekeek en zag hoe vader God het radiootje nam en het wegslingerde over de hoge hemelheg heen, ver weg, ver weg, heel ver weg... Het geluid van de radio was ineens verstomd.

Dat was dat. Er was geen woord gevallen. Al heel gauw ging alles zijn gewone gang. De lucht was blauw en de gouden regen zwiepte niet meer. Iedere engel had zijn harp of zijn bazuin weer genomen en het gazon was rustig.

Alleen het kleine engeltje liep te dwalen door alle hemeltuinen en was bedroefd. Zijn trompetje had hij niet terug en nu was ook zijn nieuwste speelgoed, het radiootje, weg. Hij ging zitten bij het hemels kippenhok en schreide. Het was de oude tuinman die hem daar vond zitten en tegen hem zei: 'Wat scheelt eraan?'

'Nu heb ik niets meer,' zei het engeltje.

'Er zijn nog trompetjes genoeg in de hemel,' zei de tuinman.

'Wil je dat ik er een voor je haal uit de voorraad?'
'Nee,' zei het engeltje. 'Geen een ander trompetje heeft zo'n toon als het mijne. En ik ben het voorgoed kwijt want het jongetje op aarde heeft het net zo nodig als ik.'
'Ik betwijfel het,' zei de tuinman-engel. 'Ik wil wel eens een keer voor je gaan kijken of het werkelijk zo is.'
Het engeltje antwoordde niet. Het bleef zitten schreien. Het schreide elke dag een uur. Wekenlang.

Vier ochtenden speelde het jongetje met de andere kinderen in het park. Aan het eind van de vierde ochtend kwam er een heer langs, die zei: 'Jongen, je hebt talent. Wil je wat verdienen met trompet spelen? Wil je beroemd worden als trompetspeler? Ga dan met me mee.'
De andere kinderen keken teleurgesteld en zagen verbaasd toe hoe hun kameraadje zijn trompet nam en meeging met de heer.
Diezelfde avond speelde de jongen voor een zaal met mensen, begeleid door een heel orkest. Hij voelde zich trots en hij was heel blij met al het geld dat hij verdiende. De mensen in de zaal klapten luid en lang, er kwamen stukken in de krant over het wonderkind met de trompet. En zijn portret stond in alle bladen. De jongen ging mee op tournee. Dat betekende dat hij elke avond in een andere stad moest optreden. Hij moest optreden voor de radio en voor de televisie. Grote aanplakbiljetten kwamen aan de concertzalen te hangen overal waar hij optrad. Hij had een enorm succes, maar hij moest wel véél. Hij moest veel reizen, hij moest erg lang spelen, hij moest veel veel handjes geven, hij moest veel handtekeningen zetten, hij moest te véél. Hij verveelde zich omdat hij te veel moest, en te weinig mocht. Hij gaapte in de pauze en hij had zelfs lust om te gapen terwijl hij speelde op zijn trompet. En dat kon nooit goed zijn. Het was ook niet goed. Hij speelde ook niet zo prachtig meer. Het leek wel of het trompetje zich ook verveel-

de. Het leek soms of het gaapte. Het klonk niet meer zo schril en ook niet meer zo zoet.

Op een avond had de jongen gespeeld in de televisiestudio, ver van zijn eigen huis. Hij was moe en hij was kribbig en hij was boos. 'Ik wou dat ik je nooit had gezien,' zei hij tegen het trompetje. 'Ik heb genoeg van je en je klinkt niet eens meer mooi.'

'Wil je hem kwijt? Geef hem dan maar aan mij,' zei de cameraman die vlak bij hem bezig was met een paar dikke kabels. De jongen keek een beetje wantrouwig naar de cameraman. Het was een oude man. Dat was al heel vreemd, want cameramannen zijn altijd jong. En deze was zo oud en zo krom. Hij had werkelijk een bochel.

'Mijn trompet weggeven?' vroeg de jongen. 'Hoe kan dat nou. Ik ben toch op tournee.'

'Hoe zou je het vinden om weer bij je vriendjes te spelen in het park?' zei de cameraman. 'Bij de vijver waar je gewend was te spelen. In je eigen stad. He?'

De jongen keek op en zei: 'Hoe weet u dat? Hoe weet u waar ik speelde? Precies zo was het.'

De cameraman zweeg en ging door met zijn werk. Het jongetje voelde zich plotseling zo moe en slaperig dat hij zijn trompetje naast zich legde en in slaap viel. Toen hij wakker werd, dacht hij: Ik moet heel lang geslapen hebben. De nacht is om, het wordt al licht. Ik ben in de televisiestudio, ver van huis. Maar wacht eens, dat is niet waar, ik ben niet ver van huis, ik ben in het park. Ik ben in mijn eigen park, bij mijn eigen vijver. En waar is mijn trompet? Nee maar, die ligt naast me. Is het wel mijn eigen trompetje? De jongen nam het trompetje en blies erop. Het was zijn trompetje niet meer. Het was een ander trompetje, een gewoon trompetje. De jongen lachte, hij vond het niet erg, hij vond het heerlijk. Hij zou trompet spelen met zijn vriendjes. Hij wou niet meer beroemd zijn, hij wou alleen maar een jongen zijn in een park, die speelt met zijn kameraadjes.

En al heel gauw kwamen zijn vrienden en waren verbaasd toen ze hem zagen. 'Ben je niet meer beroemd?' vroegen ze.

'Nee,' zei het jongetje. 'Ik ben niet meer beroemd.'

'Wil je dan weer met ons spelen?' vroegen ze.

'Dat wil ik wel,' zei hij. En hij speelde op zijn trompet. Het klonk niet meer zo hemels als vroeger, hoe kon het ook, het was het hemels trompetje niet. Het klonk heel gewoon en heel aards en een beetje onbeholpen, maar het was heerlijk om te spelen en er kwam geen heer die de jongen meenam.

De cameraman had intussen het hemelse trompetje gehouden, daar in de studio. Hij knoopte zijn jas open en twee vleugels kwamen te voorschijn. Door het raam kroop hij naar buiten en hij vloog omhoog.

Toen hij daarboven het kleine engeltje vond bij het hemels kippenhok, zei hij: 'Asjeblieft, hier is je trompetje.'

'O,' zei het kleine engeltje met een zucht. 'Mijn trompetje, mijn lieve goeie trompetje.' En het engeltje ging naar de kelder om te spelen, uren en urenlang en het trompetje had een toon, zo schril en toch zoet en mollig en wollig, het was niet te geloven. Telkens als het engeltje even ophield, leek het of hij een echo hoorde, een echo van heel ver weg van de aarde, waar de gewone jongetjes wonen, die op gewone trompetjes spelen. En de echo van het gewone trompetje gaf antwoord.

Je vraagt wat er van het radiootje geworden is.

Het was naar beneden gevallen en het viel niet in duizend stukken. Nee, het kwam terecht op een van de hellingen van de berg Popocatepetl en daar staat het nu bij een bruin ezeltje dat niet weet wat het is. Het ezeltje heeft een peinzende uitdrukking op zijn gezicht, omdat het aldoor denkt:

Wat zou dit toch wezen?
Wat zou dit toch wezen?

Hendrik Haan

Dag mevrouw Van Voort,
hebt u 't al gehoord?
Hendrik Haan
uit Koog aan de Zaan
heeft de kraan open laten staan.
Uren, uren stond ie open.
Heel de keuken ondergelopen.
Denkt u toch es even!

En 't zeil was net gewreven.
Tss, tss, tss.

Dag, mevrouw Van Doren,
moet u toch eens horen.
Hendrik Haan
uit Koog aan de Zaan
heeft de kraan open laten staan.
Zeven dagen stond ie open.
Heel het huis is ondergelopen.
Denkt u toch es even!
Alle meubels dreven.

Dag, mevrouw Van Wal,
weet u 't nieuwtje al?
Hendrik Haan
uit Koog aan de Zaan
heeft de kraan open laten staan.
Zeven weken stond ie open.
Heel de straat is ondergelopen.
Denkt u toch es even!
Alle auto's dreven.

Dag, mevrouw Verkamp,
weet u 't van de ramp?
Hendrik Haan
uit Koog aan de Zaan
heeft de kraan open laten staan.
Zeven maanden stond ie open.
Heel de stad is ondergelopen.
Denkt u toch es even!
Niemand meer in leven!

Kijk, wie komt daar aan?
Hendrik Haan, uit Koog aan de Zaan.

Hendrik, hoe is het gegaan?
Had je de kraan
open laten staan?
O, zei Hendrik, 't was maar even
en 't verhaal is overdreven.
De keukenmat
een tikkie nat,
onverwijld
opgedweild,
zó gebeurd, zó gedaan,
zei Hendrik Haan.

Alle dames gingen vlug
teleurgesteld naar huis terug.

Dikkertje Dap

Dikkertje Dap klom op de trap
's morgens vroeg om kwart over zeven
om de giraf een klontje te geven.
Dag Giraf, zei Dikkertje Dap,
weet je, wat ik heb gekregen?
Rode laarsjes voor de regen!
't Is toch niet waar, zei de giraf,
Dikkertje, Dikkertje, ik sta paf.

Zeg Giraf, zei Dikkertje Dap,
'k moet je nog veel meer vertellen:
Ik kan al drie letters spellen:
a b c, is dat niet knap?
Ik kan ook al bijna rekenen!
Ik kan mooie poppetjes tekenen!
Lieve deugd, zei de giraf,
Kerel, kerel, ik sta paf.

Zeg, Giraf, zei Dikkertje Dap,
mag ik niet eens even bij je
stiekem van je nek afglijen?
Zo maar eventjes voor de grap,
denk je dat de grond van Artis
als ik neerkom, heel erg hard is?
Stap maar op, zei de giraf,
stap maar op en glij maar af.

Dikkertje Dap klom van de trap
met een griezelig grote stap.
Op de nek van de giraf
zette Dikkertje Dap zich af,
roetsjj daar gleed hij met een vaart
tot aan 't kwastje van de staart.
  Boem!
  Au!!

Dag Giraf, zei Dikkertje Dap.
Morgen kom ik weer hier met de trap.

Op de step

Op de step, op de step.
'k Ben zo blij dat ik 'em heb
en nou es even zien –
waar rij ik nou naar toe,
naar Purmerend misschien?
Ik weet alleen niet hoe.

Toen zag ik die pastoor.
Bent u misschien bekend?
Weet u misschien de weg
naar Purmerend?

Ja zeker wel, zei de pastoor,
je gaat rechtuit en al maar door;
kijk, zie je die kapel;
die ken je ongetwijfeld wel
en als je daar dan bent
vraag dan de weg naar Purmerend;
dag, vent.

Op de step, op de step.
'k Ben zo blij dat ik 'em heb.
Toen zag ik die mevrouw.
Bent u misschien bekend?
Weet u misschien de weg
naar Purmerend?

O zeker wel, zei die mevrouw,
je rijdt maar door, tot dat gebouw,
dat is een modezaak;
daar kom ik zelf *ontzettend* vaak
en als je daar dan bent
vraag dan de weg naar Purmerend;
dag, vent.

Op de step, op de step.
'k Ben zo blij dat ik 'em heb.
Ik zag een ambtenaar.
Bent u misschien bekend?
Weet u misschien de weg
naar Purmerend?

Eens even zien, zei d' ambtenaar,
hier is een formulier; zie daar
en maak vooral geen fout;
dit moet in tweeëntwintigvoud
en als u zover bent
vraag dan de weg naar Purmerend;
dag, vent.

Op de step, op de step.
'k Ben zo blij dat ik 'em heb.
Toen zag ik een chauffeur.
Bent u misschien bekend?

Weet u misschien de weg
naar Purmerend?

Ja zeker wel, zei de chauffeur,
je bent nét aan de goeie deur;
met 'n tikkeltje geluk
maak ik die step vast aan me truck
en ik sleep je het hele end
naar Purmerend, naar Purmerend,
naar Purmerend.

Troep op de stoep

HOOFDSTUK I

Jennie staat op de stoep met de kinderwagen. In de wagen ligt haar kleine broertje Basje. Ze mag een eindje met hem rijden. Niet te ver. Heen en weer op de stoep. Tot haar moeder terug is van de supermarkt.

Eef en Jelle komen kijken.

'Hij slaapt,' zegt Eef. 'Maak 'm eens wakker.'

'Waarom?'

'Ik wil z'n oogjes zien.'

'Nee, hij moest juist blijven slapen.'

Gijs komt er ook bij staan. Met Klaartje.

Een beertje! Klaartje wil het beertje pakken. Het hangt aan een elastiekje boven Basjes hoofd.

'Blijf af,' zegt Jennie. 'Daar mag je niet aan komen.'

Wat is Basje bruin. Dat komt van het strand.

'We hebben gekampeerd aan zee,' zegt Jennie.

Het is de eerste dag na de vakantie. Ze zijn al naar school geweest.

Het was nog een beetje vreemd; ze moesten eraan wennen.

'Iedereen is bruin, behalve ik,' zegt Eef. 'Kijk maar.' Ze licht haar truitje op. Ze is roze met allemaal vellen. 'Ik vervel altijd,' zegt ze.

'Wat leuk. Mag ik ze eraf trekken?'

'Nee, niet aan komen. Dat doe ik zelf.'

‘Ik ben het bruinst,’ zegt Klaartje. Ze laat haar buikje zien.
‘Nee ik,’ zegt Jelle. ‘Ik ben veel donkerder.’
Gijs zegt: ‘Ik ben *nog* donkerder. Kijk maar.’
Ze moeten allemaal lachen. Want Gijs is zwart. Donkerder kan het niet.
Daar komt Kees aan.
Hij loopt hard. Hij schreeuwt: ‘Kom gauw!’
‘Wat is er dan?’
‘Een ongeluk!’
‘Waar dan?’
‘Daar, om de hoek.’
Ze beginnen allemaal mee te rennen. Want een ongeluk is fijn.
En Kees zegt onderweg, hijgend: ‘Twee groentewagens tegen mekaar. Eentje d’rvan is omgevallen. En alles ligt op straat.’
Jennie is eerst blijven staan. Want ze heeft Basje bij zich. Maar ze wil wel erg graag mee gaan kijken naar het ongeluk. En ze draaft toch maar mee, met de wagen over de stoep.
Basje wordt wakker. Hij begint te schreeuwen, want het gaat veel te hard. De kinderwagen bonkt over straat, van holderdebolder.

HOOFDSTUK 2
Kijk daar!

Aan de kant staat een bestel-auto. Behalve een deuk is er niets mee aan de hand. Maar daarnaast is een vracht-auto gekanteld. Hij ligt half opzij. Het is een wagen met open zijkanten.

'Oooooh, alles is eruit gevallen,' roept Eef.

Het is de wagen van de groenteman. Er liggen dozen en kratten op straat. Er zijn een heleboel appels weggerold.

Pas op voor het glas! Een fles augurken ligt gebroken op de stoep. Hier en daar ligt glas.

En overal kroppen sla.

En bloemkolen. En stronken andijvie.

Een groot pak is open-gebarsten. Er zitten kartonnetjes yoghurt in. Een paar ervan liggen een heel eind verder.

Tip vindt het machtig. Hij blaft en springt heen en weer tussen de kolen en de sinaasappelen.

En nu komen er van alle kanten kinderen aan, om te kijken.

De groenteman heeft ruzie met de chauffeur van de bestel-auto.

Ze schreeuwen tegen elkaar. Ze wijzen allebei naar hun voorhoofd.

Jelle en Kees gaan even kijken naar de bestel-auto.

'Ook een groentewagen,' zegt Kees.

'Nietwaar,' zegt Jelle. 'Kijk maar.'

Een van de deurtjes staat open. Ze kijken naar binnen.

'Wasmachines. Zie je nou wel?'

Waarom staat er dan TOMATEN op het andere deurtje?

Wat gek.

Nu gaat de man van de groentewagen de telefooncel binnen.

'Hij laat alles zomaar liggen,' zegt Eef.

De groenteman telefoneert.

'Hij zal de garage wel opbellen,' zegt Jelle. 'Zijn wagen moet toch weer overeind gezet worden?'

De man van de bestel-auto doet zijn achterdeurtje dicht.

En Kees roept: 'Kijk nou!'

Niemand luistert. Ze kijken allemaal naar de appels en de groente op straat.

Maar Kees moet lachen. Want nu ziet hij wat er op de deurtjes staat: WASAUTOMATEN.

Twee grote jongens schoppen tegen een bloemkool. Ze gaan ermee voetballen. Een meisje raapt appels op en steekt ze in haar trui onder haar riem.

En een ander meisje holt weg met een zak druiven.

'Hee,' roept Eef. 'Dat mag toch niet!'

Maar nu beginnen alle kinderen te grissen en te graaien. Iedereen pakt wat hij grijpen kan.

Kees grijpt een zak aardappelen. Maar dan ziet hij iets veel beters: een doos mandarijntjes. Hij laat de zak vallen. Alle aardappelen rollen over de straat. En hij loopt hard weg met de mandarijntjes.

De kinderen zijn niet meer te houden. Ze willen allemaal iets.

Gauw, gauw voordat de groenteman weer terug is. Jennie heeft bloemkolen in de kinderwagen geladen. Boven op Basje, die nu nog veel harder huilt.

En Klaartje staat ook te huilen. Want ze heeft een zak wortelen, die te zwaar voor haar is. Ze kan 'm niet eens optillen.

'Hier,' zegt Gijs. 'Neem jij dit maar. Een zak gesneden uien.'

Nu heeft iedereen wat.

En Jelle? 'Wat heb jij daar, Jelle? 't Lijken wel matrassen.'

'Plastic,' zegt Jelle.

Het zijn twee grote repen schuimplastic.

Ze zijn gescheurd en vuil. Maar Jelle sleept ze mee.

Eef is de enige die niets heeft. Ze roept aldoor: 'Wat doen jullie toch? Dat mag toch helemaal niet.'

Pas op het laatst pakt ze een doos peren op. Want het is toch te gek, dat zij niets heeft en alle anderen wel wat?

Maar dan komt *net* de groenteman uit de telefooncel.

'*Hee* daar!' roept hij.

Eef laat de doos vallen.

En ze loopt hard, om de anderen in te halen.

KATTEKWAAD OP STRAAT *liedje*

Weet je hoe dat gaat
met kattekwaad op straat?
Dat weet ieder kind:
altijd is er eentje die begint.

Eentje die begint,
en dan komt nummer twee,
en 't hek is van de dam,
en iedereen doet mee.

Maar dat is toch stom?
En waarom, waarom, waarom?

Niet omdat het leuk is,
niet omdat het moet,
enkel en alleen
omdat iedereen het doet.

Alles moet kapot
hier in het plantsoen,
trap het maar verrot,
al die bloemen en het groen.

Alles moet kapot,
en alles moet vernield,
en als er iemand vraagt
wat je toch bezielt,
dan zeg je heel verwonderd:
Dat dee toch iedereen?
We waren met z'n allen,
ik was toch niet alleen?

En de muren bekladden,
en 'n lol dat we hadden!
Hoi, hoi, hoi!

Eentje vindt het leuk
om ergens in te breken,
of om in de brievenbussen
vuurwerk aan te steken.

Prompt is er een ander
die het na gaat apen,
en dan komt de rest;
nét een kudde schapen.

Maar dat is toch stom?
En waarom, waarom, waarom?

Niet omdat het leuk is,
niet omdat het moet,
enkel en alleen
omdat iedereen het doet.

Eentje die begint,
en dan komt nummer twee,
maar af en toe dan is er een
die zegt: *Ik doe niet mee.*

Niet omdat ik bang ben,
'k durf het net zo goed,
'k wil alleen maar weten
waaróm dat nou toch moet.

Die ene doet niet mee,
en die staat dan opzij,
en dat is niet zo makkelijk,
hij hoort er niet meer bij.

En vaak is het geen ‘hij’,
heel vaak is het een ‘zij’.

Dan lachen ze haar uit,
ze vinden het maar raar,
ze zeggen: Jij bent bang.
Maar dat is nou juist niet waar.

Weet je hoe dat gaat
met kattekwaad op straat?
Iedereen doet mee,
maar altijd is er eentje die zegt: *Nee*.

HOOFDSTUK 3

Voor het huis van Eef en Jelle staat de moeder van Jennie. Ze is erg ongerust. En ze is kwaad.

En ze vraagt aan Eefs moeder: 'Heb je Jennie soms gezien? Ik was even in de supermarkt en ze mocht heel even met Basje rijden. Maar toen ik buiten kwam, was ze er vandoor. Met wagen en al.'

'Ik heb haar niet gezien,' zegt Eefs moeder. 'Maar ik geloof dat ze daar allemaal aankomen.'

'Is Jennie er ook bij?'

'Ik geloof het wel.'

Ja hoor, daar komt de hele troep aan.

Wat hebben ze toch bij zich? Ze slepen van alles mee.

Kees is er het eerst. Met zijn doos mandarijntjes.

En dan komt Gijs. Met een zak wortelen. Hij heeft zijn trui uitgedaan. Daar zitten appelen in.

Klaartje komt aanzeulen met een zak uien.

Van Jelle zie je alleen de voeten. Hij gaat helemaal schuil onder twee lappen schuimplastic.

Eef heeft niets. Ze kijkt boos en teleurgesteld.

En helemaal achteraan komt Jennie met de kinderwagen. Een kinderwagen vol bloemkolen.

Daaronder ligt Basje te krijsen.

'Wat moet dat? Waar was je dan? En kijk nou, dat arme schaap stikt haast onder al die zware bloemkolen.'

En Jennies moeder is woedend.

Basje is vuurrood van het harde schreeuwen.

'En waar is z'n beertje? Je hebt z'n beertje verloren.'

Jennie hijgt van het draven met de zware wagen.

'Ik dacht dat jij blij zou zijn,' klaagt ze.

'Blij? Als jij je broertje begraaft onder de bloemkool?'

'Ik dacht: Nou hoeft moeder geen groente te kopen,' zegt Jennie.

'Maar vertel eens, wat is er toch gebeurd? Hoe komen jullie aan al die groente en aan die vruchten?'
Ze gaan vertellen. En ze roepen allemaal door elkaar.
Eindelijk begrijpen de moeders het verhaal.
'Maar luister eens,' zegt Jelles moeder. 'Welke groentewagen is dat dan? Toch niet die van De Bruin?'
Dat weten ze niet.

'Het moet wel,' zegt moeder. 'Er is maar één groenteman hier in de buurt, die de boel nog thuis bezorgt. Hij is de enige. En hij heeft het toch al niet makkelijk. Zijn winkel is maar klein. En nu gaan jullie ook nog zijn groente en fruit stelen.'

'Niet stelen,' zegt Kees. 'Gewoon oprapen. Het lag toch op straat?'

'Dat is plunderen,' zegt moeder. 'Dat is hetzelfde als stelen.'

'Maar *wij* zijn niet begonnen,' zegt Gijs. 'De anderen zijn begonnen.'

'Welke anderen?'

'Grote jongens eerst. En toen deden ze het allemaal.'

'En moeten jullie het dan ook doen?'

'Ik heb het niet gedaan,' zegt Eef.

'Dan ben jij verstandig.'

'Ik *wou* het alleen op het laatst toch doen,' zegt Eef. 'Maar toen ging het niet meer. Want hij zag het.'

'In elk geval wil ik die bloemkool niet hebben,' zegt de moeder van Jennie.

De kinderen zijn nu ineens stil. En ze kijken boos. Want het was zo'n leuke verrassing. Je denkt: Wat zullen de moeders blij zijn. Ze zeggen toch altijd dat de groente zo duur is? En nou krijgen ze het cadeau. En ze zijn helemaal niet blij. Ze zeggen dat je steelt. Er is altijd wat.

'Wat zijn dat voor dingen, Jelle?'

'Plastic. Kun je van alles mee doen. Je kunt er ook op liggen. Kijk maar.'

De twee moeders kijken elkaar aan.

'Wat moeten we nu doen?'

'Ze moeten het allemaal netjes terug-brengen,'

zegt Jelles moeder.

'Moeten we het terug-brengen?'

'Ja. Meteen. Alles.'

'Maar ik ga de mandarijntjes aan m'n moeder geven,' zegt Kees.

'Daar is je moeder helemaal niet blij mee. Met gestolen mandarijntjes. Kom, vooruit. Breng ze terug.'

'Dat durf ik niet,' zegt Kees.

Hij zet de doos neer.

'Ik breng de wortels en de appels ook niet terug,' zegt Gijs.

'Waarom niet?'

'Het staat zo gek. Dan lachen ze je uit.'

Klaartje wil stiekem weglopen met de uien, maar moeder pakt haar de zak af. En ineens lopen Jennie, Kees, Gijs en Klaartje weg. Ze laten alles liggen.

'Aardig hoor!' zegt Jennies moeder.

'Dan moet Jelle het maar doen.'

'Dat plastic mag ik houden,' zegt Jelle. 'Dat is toch kapot en vies.'

'Nou, de rest dan.'

'Die heb *ik* toch niet mee-gepikt? Waarom moet *ik* het dan terug-brengen? Dat hoeft niet. En ik durf het ook niet.'

'Wat is daar nou aan te durven,' zegt Eef. 'Ik durf het best. Maar ik kan het niet allemaal dragen.'

'Weet je wat?' zegt moeder. 'Neem het wagentje, dat je toen met opa gemaakt hebt. En doe daar alles in.'

'Help eens, Jelle.'

'Straks,' zegt Jelle. 'Ik heb het te druk.'

Eef haalt het wagentje. En ze laadt er alles netjes op.

HOOFDSTUK 4

De groenteman staat bij zijn gekantelde wagen. Hij is bezig de boel weer in te laden. Tenminste... wat er

nog over is. Want er is erg geplunderd door de kinderen. Op straat ligt een enorme hoop rommel. De meeste dozen en kratten zijn helemaal leeg, sommige zijn half leeg. En er ligt van alles los op straat. Aardappelen en wortelen en doosjes yoghurt. Alles door elkaar.

Eef komt aan met haar wagentje.

De groenteman ziet haar niet. Hij is druk bezig.

Eef raapt nog een paar appels op om de man te helpen.

En net op *dat* moment draait hij zich om.

'Welja!' roept de groenteman. 'Sleep het maar mee, met hele wagens tegelijk!'

Eef schrikt.
'Ik had jou al lang in de gaten, zus! En nou kom je nog meer wegjatten. Dat gaat zo maar niet!'
'Ik kom het juist terug-brengen...' begint Eef. Maar de groenteman is kwaad en hij luistert niet.
'Geef op,' zegt hij. 'Kom hier met dat karretje.'
'Ik kwam het terug-brengen,' zegt Eef nog eens.
'Ja, dat zal wel. Ha! Terug-brengen. Geef op!'
Hij grijpt haar wagentje. En hij kijkt zo dreigend, dat Eef begint te huilen. Ze loopt snikkend weg, op een drafje. Terug naar huis.
'Wat is er gebeurd? Waarom huil je? En waar is je wagentje?'
'Het... het staat er nog.'
'Waarom heb je 't niet meegebracht?'
'Hij heeft het af-af-gep-p-pakt...' jammert Eef.
'Afgepakt? En je kwam het brengen.'
'Hij dacht dat ik nog meer kwam jatten.'
Moeder begint te lachen. Jelle ook.
Eef wordt daar zo boos om, dat ze ophoudt met snikken. ' 't Is zo gemeen,' roept ze. 'Ik was de enige die het terug durfde te brengen. En ik was ook de enige die niks had meegenomen. En nou zegt die vent dat ik steel. En jullie lachen me ook nog uit!'
'Nee,' zegt moeder. 'Ik lach je niet uit. Ik vind het juist erg flink dat je gegaan bent. En ik dacht dat de groenteman blij zou zijn.'
'Dat dacht ik ook,' zegt Eef. 'Ik dacht: Hij geeft me vast een *beloning*. Al was het maar een appel. Maar nou heeft ie m'n wagentje afgepakt.'
'Ik begrijp het allemaal best,' zegt moeder. 'Die arme De Bruin. Hij komt terug van het opbellen en in die tussentijd hebben kwajongens al zijn waar weggesleept. Dus is hij woedend. En ineens ziet hij

jou. En hij denkt dat je nog meer komt wegslepen. We gaan het wagentje terughalen, zegt Jelle. Kom mee, Eef. Kom Tip!

HOOFDSTUK 5

Als Eef en Jelle aankomen, zien ze dat er een takelwagen staat. Die is gekomen om de groente-auto weer overeind te zetten. En er staan weer een heleboel kinderen omheen.

Het is erg leuk om te zien.

'Hier staat ons karretje,' zegt Jelle. 'Maar we blijven nog even kijken.'

Hoeps, daar staat de vracht-auto weer recht overeind op de rijweg. Er zitten wel deuken in, hier en daar. Maar de motor doet het. Hoor maar. Hij kan gewoon weer rijden.

Maar het is wel een lege auto.

De groenteman rijdt weg. En de takelwagen ook.

Maar de rommel blijft liggen.

Al de lege plastic kratten.

Erg veel vloeipapiertjes die wapperen.

Zakken en dozen. Losse aardappelen.

Losse uien. Uit elkaar gevallen kroppen sla.

'O kijk, daar ligt bloed.'

'Waar?'

'Hier.'

'Nee, dat is geen bloed.'

'Wat is het dan?'

'Gekookte biet. Fijngetrapt.'

'O. Jammer. Ik dacht dat het bloed was.'

'Van wie zou dat bloed dan moeten zijn? De groenteman was nog helemaal heel.'

Tip snuffelt tussen de papieren en kartonnen. Hij wil weten of er voor hem ook iets lekkers bij is. Maar hij lust geen sla. Hij likt even aan een open potje yoghurt. Maar hij trekt een vies gezicht en niest.

Nu is het etenstijd.
Iedereen gaat naar huis.
En de troep blijft liggen.

Het is nu drie dagen later. Het heeft geregend. En de boel ligt er nog altijd. Alles is enkel *nog* viezer geworden.

Het gebroken glas is weg. Dat heeft iemand er tussenuit gehaald, want glas op straat is gevaarlijk.

En iemand heeft de rommel een beetje bij elkaar geveegd, op een slordige hoop. Maar die hoop blijft liggen.

Mevrouw De Jong, die daar woont, staat te kijken op de stoep en zegt: 'Bah. En dat blijft daar maar liggen.'

'Ja,' zegt haar buurvrouw, mevrouw Van Dijk. 'Dat niemand dat nou eens opruimt!'

'En vanmorgen is de vuilnis-dienst langs geweest. Waarom hebben ze dat dan niet meegenomen?'

'Dat zei ik ook tegen ze. Ik zei: Moet je dat niet meenemen?'

'En wat zeiden ze toen?'

'Ze zeiden: We nemen wel zakken mee, maar geen losse troep.'

'Mooi is dat. Wat moeten we nu?'

'Ik weet het niet. Het ligt voor uw deur. Kan u het niet opruimen?'

'Ik? Waarom? Ik heb die troep toch niet gemaakt. Doet u het dan zelf. Het ligt toch ook voor uw deur?'

'Maar 't is *mijn* troep toch niet?'

Ze krijgen ruzie. Mevrouw De Jong gaat naar binnen. En mevrouw Van Dijk ook. Ze zijn boos.

En niemand doet iets.

En de boel blijft liggen.

En dan gaat het ook nog waaien.

TROEP OP DE STOEP *liedje*

mevr. A: O mevrouw, kom toch 'ns kijken
naar die rommel op de stoep,
al die smeerboel blijft maar liggen,
wat een troep, wat een troep!
mevr. B: Ja mevrouw, het is een schande,
'k heb het al zo lang gezien,
en dat ligt daar maar te rotten,
dus het stinkt nog bovendien.
Vuile dozen
en papieren,
en het zit al
vol met mieren,
vieze blaren
die daar slieren
en de hele
buurt ontsieren,
samen: en er wordt niks aan gedaan!
mevr. A: Waarom *doet* u daar niets aan?
mevr. B: Wie? *Ik?*
mevr. A: Ja, *u*.
mevr. B: Maar het is toch niet *mijn* troep?
mevr. A: Maar het is toch ook *uw* stoep?
mevr. B: Kom nou, ga nou gauw,
doet u 't zelf dan maar mevrouw.
Vraag het aan meneer hierboven.
Kijk, daar komt ie net voorbij.
mevr. A: O meneer, moet u eens kijken,
wat een gore zwijnerij!
meneer C: Ja mevrouw, het is schandalig,
'k heb het al zo lang gezien,
't ligt daar al van gisterochtend,
of nog langer al misschien.

alle drie: Al die dozen
die daar zwerven,
en daartussen
al die scherven,
van die flessen
en die potten,
en tomaten
die verrotten.
Waarom wordt er niks gedaan?

mevr. B: Waarom *doet* u daar niks aan?

meneer C: Wie? *Ik?*

mevr. B: Ja, *u*.

meneer C: Maar het is toch niet *mijn* troep?

mevr. A en B: Maar 't is evengoed *uw* stoep.

meneer C: Kom nou, ga nou gauw,
doet u 't zelf dan maar, mevrouw.
Vraag het aan de buurman hier,
die daar woont op nummer vier.
Kijk, daar komt ie net de straat op,
kijk, nou staat ie voor de deur,
hij weet overal wel raad op,
want hij is de ingenieur.

mevr. A: Hee meneer!

meneer D: Ja mevrouw?

mevr. A: Wilt u even komen kijken?
Al die viezigheid op straat.
Moet dat zo maar blijven liggen?
Geeft u ons es even raad.

meneer D: O mevrouw, 't is een ellende,
'k roep het al de hele dag:
Wat een bende, wat een bende,
dat dat allemaal maar *mag*!
Lege kratten,
lege potten

en bananen
die gaan rotten,
hele flessen
en kapotte,
en we zijn hier
toch tenslotte
niet een buurt van
hottentotten.
Niemand die er wat aan doet.

mevr. B: Wat vindt *u* nou, dat er moet?

meneer D: Nou, een brief aan de gemeente
om es flink te protesteren:
Hooggeachte burgemeester,
't ligt hier vol met rotte peren.

mevr. A: Zou dat helpen, dacht u wel?

meneer D: Tja, dat moet je avonturen,
en het helpt ook niet meteen,
't kan een maand of zeven duren.

mevr. A: Schrijft u eventjes die brief,
alstublief, alstublief.

meneer D: Wie? *Ik*?

mevr. B: Ja, *u*, ingenieur.

meneer D: Maar het ligt niet voor *mijn* deur!

mevr. A: Maar het is toch ook *uw* stoep?

mevr. B: En het is dus ook *uw* troep.

meneer D: Kom nou, ga nou gauw,
doet u 't zelf dan maar, mevrouw.

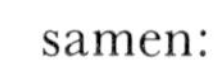

samen: Zo ging iedereen weer verder,
iedereen daar in de buurt,
en de boel is blijven liggen.
Hoe lang denk je dat dat duurt?

	Net zo lang tot iemand roept:
mevr. A:	Ook al is het niet mijn stoep,
	kom, ik maak het even schoon!
	Heel gewoon, heel gewoon.

HOOFDSTUK 6

Opa komt bij Eef en Jelle.

'Ik ben daar-langs gekomen,' zegt hij. 'Daar waar die auto is gekanteld. En ik dacht: Waarom wordt die bende niet opgeruimd?'

'Wie moet dat dan doen?' vraagt moeder.

'Als niemand het doet, ga ik het doen,' zegt opa. 'Ook al heb ik er niks mee te maken. Ook al woon ik er een eind vandaan. Want dit kan niet langer. En nu het waait, fladdert de rommel weer over de hele buurt. Wie gaat er mee?'

'Ik,' zegt Eef. 'Ik ook,' zegt Jelle.

'We nemen een paar vuilnis-zakken mee,' zegt opa. 'En een ouwe bezem.'

'Vooruit, daar gaan we.'

Tip gaat ook mee.

Als ze bij de plek van de vuilnis-hoop komen, zien ze dat er al heel wat is weg-gewaaid. Papieren dwarrelen overal. En plat-getrapte dozen waaien de weg op.

Eef en Jelle jagen achter de papieren aan. En Tip is dol van plezier.

Hij bijt in dozen en sleept met plastic kratten.

Nu komen er andere kinderen bij.

Gijs en Klaartje ook. Ze willen helpen en gaan gauw een bezem halen.

En Kees komt, samen met Jennie.

Het is best leuk werk. Soms een beetje vies, want de groentebladen zijn bruin en beginnen te rotten.

Opa houdt de vuilniszakken open. Daar gaat alles in.

'Kijk toch!' schreeuwt Jennie.

'Wat heb je daar?'

'Basje z'n beertje! Helemaal smerig geworden. Maar het hindert niet, het kan gewassen worden.'

'Zo zie je,' zegt opa. 'Als je de boel opruimt, vind je altijd iets terug.'

Nu is het netjes. Alles zit in de zakken.

Opa bindt de zakken dicht en zet ze keurig op een rijtje.

Ziezo. Als morgen de gemeente-reiniging komt, kunnen ze het meenemen.

'Wat heb jij daar, Gijs?'

'Een potje yoghurt.'

'Is dat niet vies?'

'Nee, alleen aan de buitenkant. Maar 't was nog dicht.'

'Eet je dat met je vingers?'

'Geef mij ook een lik.'

'Mij ook.'

Met de eend naar zee

Ik zie een rood stipje.
Het wordt groter
en groter
en nog groter.

 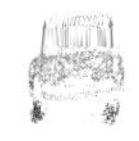  

HOOFDSTUK I

Het is de eend van oom Jaap.

Hij stopt bij het huis van Eef en Jelle.

Ze staan al zo lang op hem te wachten. Want het is *hun* oom. En hij heeft een nieuwe eend.

Nu komt hij hen halen. Voor een tochtje. Dat heeft hij beloofd. Het is kerstvakantie.

'Stap maar in,' zegt oom Jaap. 'Moet de hond ook mee?'

Ja natuurlijk. Tip moet mee.

Moeder komt nog even naar buiten. Met een das om, want het is koud. Het waait en soms sneeuwt het een beetje.

'Waar ga je naar toe?' vraagt ze.

'Naar zee,' zegt oom Jaap.

'Naar zee? Midden in de winter? Met die kou?'

'Waarom niet?' zegt oom Jaap. 'We gaan toch niet *in* zee. We blijven op het strand.'

'Jullie liever dan ik,' zegt moeder. En ze rilt. Ze gaat gauw weer naar binnen, maar ze roept nog even: 'Denk erom, *niet* nat worden!'

Daar komt Kees. Hij hijgt. 'Ik mag ook mee,' zegt hij. 'Ik heb het thuis gevraagd. En het mag.'

'Welja,' zegt oom Jaap. '*Nog* meer soms?'

'Ja, *nog* meer,' roept Eef. 'Gijs mag ook mee. Ik heb het hem beloofd. Want Gijs heeft nog nooit een duin gezien.'

'En ik mag ook mee,' zegt Klaartje. 'Mamma vindt het goed.'

'Vijf kinderen,' zegt oom Jaap. '*En* een hond? Dat gaat niet hoor.'

Misschien kan Klaartje er nog bij, die is zo klein. Maar Gijs ook nog? Dat wordt te gek.

'Ik moet op Klaartje passen, dat heb ik beloofd,' zegt Gijs.

'En ik heb beloofd dat Gijs mee mocht,' zegt Eef.

'Jullie beloven te veel,' bromt oom Jaap. 'Je kunt er niet eens allemaal in.'

'O ja hoor, dat gaat best. Kijk maar.'
Daar zitten ze al. Klaartje op schoot bij Gijs. En Eef zit op de vloer. En Tip zit boven op Eef.
'Nou vooruit dan maar,' zucht oom Jaap. 'Maar denk erom! Stil zitten. En niet wiebelen!'
Er komen nog meer kinderen aanlopen.
Maar oom Jaap schreeuwt: '*Vol!*'
Daar gaan ze.
Rijden maar.

Hoofdstuk 2

'Eerst even tanken,' zegt oom Jaap. 'Daar is een pomp. De eend moet drinken. En erg veel. Anders haalt hij het niet.'

'Vol met super?' vraagt de man van de pomp.

'Ja, vol met super.'

'Ik zie de cijfers draaien,' zegt Gijs. 'Dat daar is de prijs. En dat daar zijn de liters.'

Nu staan de cijfers stil. De tank is vol.

Oom Jaap betaalt. En ze rijden verder.

Zie je hoe het waait? De bomen zwiepen. En er valt af en toe een sneeuwvlok uit de lucht.

Buiten is het guur en koud.

Maar in de eend is het benauwd.

'Ik doe het raampje open,' zegt Eef. 'Ik stik.'

'Nee, dat mag niet,' zegt Kees. Hij klapt het weer dicht. Ze krijgen ruzie. Eef en Kees hebben altijd ruzie.

Tip blaft en springt met zijn poten in Klaartjes gezicht. Klaartje gaat huilen.

Oom Jaap rijdt naar de kant van de weg. Hij stopt en zegt: 'Nu moeten jullie eens goed luisteren.

Boeven!

Als je niet *heel* stil zit, dan keer ik om. En ik rij terug naar huis.'

Dat helpt. Ze zitten als muizen zo stil. Zelfs Tip heeft het gesnapt. Hij gaat zoet zitten, boven op Eef. Ze kan haast niet meer ademhalen, maar ze zwijgt.

'Mooi,' zegt oom Jaap. 'En overal met je vingers van afblijven. Daar gaan we weer.'

'Een duin!' roept Kees. 'En nog een. Kijk Gijs, *dat* zijn nou duinen. Mooi he?'

Oom Jaap weet een weg dwars door de duinen heen. Het is erg stil.

Er zijn bijna geen auto's. Wie gaat er ook naar zee met de kerst? In die kou en met zo'n wind?

Niemand. Alleen wij.

Hier houdt de weg op. Bij de frietenkraam.

Daar beneden is de zee. Kijk toch, de zee! Wat een hoge golven. En wat een schuim!

Oom Jaap doet het portier open en stapt uit. 'Kom maar,' zegt hij. Ze tuimelen allemaal naar buiten.

Zzzzzjt... doet de wind. Hij blaast ijskoud om hun oren.

Ze moeten oppassen, anders waaien ze om. En wat een herrie. De wind raast en de zee brult. Je kunt elkaar niet verstaan. Het is geweldig.

NAAR DE ZEE IN DE WINTER *liedje*

Wie gaat er mee naar zee in de winter,
wie gaat er mee naar 't strand?
't Is zo lekker leeg in de winter,
enkel maar water en zand.
Hele hoge golven,
hier en daar een meeuw,
soms komt uit de wolken
een heel klein vlokje sneeuw.
Het water is te koud
om erin te gaan;
je moet pootje baaien
met je sokken aan.
Iedereen zit binnen,
bij de haard met de poes op schoot;
naar zee gaan in de winter,
dat vinden ze idioot.
Kom kom, zei die mevrouw,
naar zee gaan met die kou?
En met die felle oostenwind?
Nee dank je wel, m'n lieve kind,
gaan jullie maar alleen.
En dat deden we ook meteen.
We hollen van de duinen naar benee,
midden in de winter aan de zee.
Niemand wil naar zee in de winter,
niemand die dat wil;
daarom is het midden in de winter
hier zo lekker stil.
Eindeloos veel water,
en aan de overkant,
helemaal in de verte,
daar ligt Engeland.

De wind is veel te guur,
en je kunt niet bloot;
'k zou wel willen varen
met m'n opblaasboot.
Iedereen zit thuis,
op de bank met een kopje thee;
naar zee gaan in december?
Oei, wat een eng idee!
He bah, zei die meneer,
naar 't strand gaan met dit weer?
Hoe haal je 't in je malle hoofd,
het weerbericht heeft sneeuw beloofd;
gaan jullie maar alleen.
En dat deden we ook meteen.
We hollen van de duinen, hand in hand,
midden in de winter aan het strand.

HOOFDSTUK 3

'Bij mekaar blijven!' schreeuwt oom Jaap. 'Geef elkaar een hand. Dan lopen we het duin af.'

Ze doen het.

Het gaat sneller en sneller door het natte zand.

Maar kijk Tip eens!

Hij holt vooruit met grote sprongen. Hij is al vlak bij de zee. Daar staat hij te blaffen tegen de golven.

'Niet te dichtbij, jongens,' zegt oom Jaap. 'Een eind van het water blijven. En hou mekaar vast.'

Dan komt er een hele hoge golf. Waar is Tip?

Tip is onder water. Je ziet hem niet meer. Je ziet enkel schuim.

'*Tip!*' gilt Eef. Ze laat de anderen los. Ze rent naar de zee. En nu hollen de anderen ook naar zee.

Klaartje joelt en gilt en Gijs probeert haar te pakken. Hij heeft beloofd dat hij op haar zal passen.

'Kom terug!' schreeuwt oom Jaap. Maar niemand hoort hem.

Hij heeft nu enkel Jelle vast. Die wil ook weg, maar oom Jaap houdt hem stevig bij zijn arm.

Waar is Tip? Hij is nog niet boven water.

Pas op! Daar komt weer een golf!

Het is te laat. De golf slaat om. *Flats!* Klaartje valt.

Gijs is vlak bij haar. En de anderen komen aanhollen om Klaartje overeind te helpen. Maar juist als ze bij haar zijn...

Kijk uit!

Een nieuwe golf!

Klats!

Daar heb je 't. Vier kinderen drijfnat. Maar gelukkig is Tip terecht. Hij komt het water uit en schudt zich op het strand. Alleen Jelle is droog.

Oom Jaap is boos.

'Ik heb beloofd dat jullie niet nat zouden worden,' zegt hij. 'En moet je nou zien! Ik durf zo niet terug met jullie.'

'Het is Eef haar schuld,' zegt Kees. 'Zij ging het eerst.'

'Het is Tip zijn schuld,' zegt Eef. 'Hij was ineens

w-w-w-weg. Ik d-d-dacht dat hij verd-d-dronk.'

'Daar heb je 't. Je staat te klappertanden,' zegt oom Jaap. 'Kom mee, we gaan naar de frieten-kraam. Misschien hebben ze warme soep. Ik hoop dat hij open is. Zo midden in de winter.'

HOOFDSTUK 4

De frieten-kraam is gelukkig open. Het is er lekker warm en erg gezellig. Er zijn tafeltjes en stoeltjes. Er is maar één klant. En verder de frieten-vrouw en de frieten-man.

'Ik heb een heleboel kletsnatte kinderen bij me,' zegt oom Jaap. 'En één droog kind. En een natte hond.'

'Zo,' zegt de frieten-man. 'Hoe is dat nou gekomen? Gaan jullie altijd met de kerst in zee? Kom maar gauw bij de gaskachel.'

'Ach...' zegt de frieten-vrouw. 'Die arme schaapjes. Drijf en drijf zijn ze. Weet je wat? Doe je goed uit. Dan droogt het gauwer.'

Ze doen alles uit. Jassen en sokken en truien en ondergoed. Jelle wil zich ook uitkleden, maar oom Jaap zegt: 'Ben je gek? Jij niet, jij bent droog.'

Vier blote kindertjes. En één aangekleed kind.

'Allemaal soep?'

Nee, geen soep. Veel liever frieten.

Ze willen allemaal frieten. Behalve Jelle. Die is boos en wil niets. En Klaartje wil alleen een ijsje. 'n IJsje?

'Hoe is het mogelijk,' zegt de frieten-baas. '*Net* uit zee gevist. Door en door nat. Half bevroren. En nog wil ze ijs. En het ijs valt uit de lucht.'

'Hee,' roept oom Jaap. 'Waar ga je naar toe, Jelle?'

Jelle wil stiekem naar buiten. Hij staat al bij de deur.

'Kom 's terug, Jelle! Wat wou je gaan doen?'

'Naar zee,' zegt Jelle. 'Ik wil ook nat. En dan bloot.'

'Ben je nou helemaal!' roept oom Jaap. 'Ik ben net zo blij dat ik er tenminste eentje droog heb gehouden. Ga zitten. En eet wat.'

Maar Jelle is boos. Hij wil niks eten. 'Ik mag ook niks,' zegt hij. 'Eerst mocht ik niet in zee. En nou mag ik weer niet in zee. En ik mag m'n goed niet uit.'

Zijn de kleren al droog?

Nee. Wat duurt dat lang. De jassen zijn droog. De broeken bijna. Maar de truien zijn nog zo nat.

'We moeten weg,' zegt oom Jaap. 'Het wordt al donker. Het is al laat. Trek alles dan maar nat aan. O, jongens, wat moet ik straks aan jullie moeders zeggen? Ik durf niet terug.'

'We zeggen het niet !' roept Eef.

'We hoeven het niet te vertellen,' zegt Gijs.

'We worden onderweg wel droog.'

'En niemand hoeft het te weten.'

'Kunnen jullie allemaal je mond houden?' vraagt oom Jaap.

'Ja ja!' roepen ze allemaal. Behalve Jelle. Die is kwaad.

'Goed, afgesproken. We gaan naar huis. Zeg maar: Goeiendag. En bedankt. En tot ziens.'

Daar rijden ze weer. In de warme eend. Vier klamme kinderen en een klamme hond. En één boze Jelle.

HOOFDSTUK 5

In Waaidorp is het al lang donker. De straatlantarens zijn aan. En de kerstboom op de hoek is vol lichtjes. Het is erg stil op straat. Bij het huis van Eef en Jelle staan vier moeders buiten op de stoep. Ze hebben het koud en stampen met de voeten en lopen heen en weer. Ze zijn ongerust.

Waar blijft de eend van oom Jaap met de kinderen? Er zal toch niets gebeurd zijn? Het is al over zessen. De vaders zijn al thuis. Die willen eten.

Maar de kinderen zijn er niet.

Eindelijk - daar draaien twee koplampen de hoek om. Gelukkig. Het is de eend.

Het portier gaat open. En daar zijn ze. Allemaal.

Ook Tip. Tip is nat! Is Tip in zee geweest?
'Ja,' zegt Eef. Verder zegt ze niets. En niemand zegt iets. Dat hoeft ook niet, want de moeders praten allemaal tegelijk. Wat zijn jullie laat! Je had beloofd voor 't donker thuis te zijn! We waren ongerust.
Nu wordt Klaartje opgetild door haar moeder.
'Wat is dat?
Je bent helemaal nat. Je trui is klets.
En je stinkt. Je ruikt naar zeewier!'
Alle moeders voelen nu aan hun kinderen. Oom Jaap staat er-bij.
'Hoe komen jullie zo nat?'
'Ik ben droog,' zegt Jelle.
Maar dan roept Klaartje: 'En ik viel... en ik ging kopje onder en zullie ook. Alleen Jelle mocht niet.'
Ze kijken allemaal naar Klaartje. Klaartje heeft het verklikt. Maar ze is ook nog maar klein. Ze gaat nog naar de kleuterschool.
Alle moeders kijken kwaad naar oom Jaap.
'Ik kon het niet helpen,' zegt hij. 'Het ging allemaal vanzelf.'
'Het kwam door Tip,' roept Eef. 'Die was ineens onder zee.'
'Nou,' zegt de moeder van Kees. 'Kom gauw mee, we moeten naar huis.'
De kinderen roepen: 'Het was fijn, oom Jaap. Het was erg leuk.'
Alleen Jelle zegt niets.
Ze gaan allemaal naar huis.
En oom Jaap stapt in zijn eend en rijdt weg.

HOOFDSTUK 6

'Waarom eet je niet, Gijs?'

'Geen trek,' zegt Gijs.

'Zie je wel? Je bent al ziek! Dat heb je ervan!'

'Nee,' zegt Gijs. 'Ik heb zoveel frieten op.'

‘Eet je bord leeg, Klaartje.’
‘Ik lust niet.’
‘Je hebt zeker frieten gegeten?’
‘Nee. Twee ijsjes.’
‘IJsjes? Ook dat nog. Morgen ben je ziek.’

Zo gaat het ook bij Kees. En ook bij Eef.
Alleen Jelle eet wel. Die heeft honger.

De volgende morgen spelen ze weer op straat. Kees en Eef en Gijs en Klaartje. Ze zijn helemaal niet ziek. Alleen Jelle is thuis. Hij hangt op z’n stoel.
‘Wat is er Jelle?’

'Ik heb zo'n pijn in m'n keel.'
'Blijf maar lekker binnen,' zegt mamma.
's Avonds is hij snot-en-snot-verkouden.
Zijn vader zegt: 'Dat hebben jullie ervan. Ik heb het allemaal gehoord! In zee gaan midden in de winter.'
Eef roept verbaasd: 'Maar hij was helemaal niet in zee. Hij was aldoor droog. Hij was de enige. Wij waren allemaal nat. En wij zijn niet ziek... *Dus.*'
'Wat bedoel je met *"dus"*?' vraagt vader. 'Moet je met kerst in zee vallen om gezond te blijven soms?'
Jelle zegt niets. Hij heeft een heel pak papieren zakdoeken. En hij snuit.

De volgende dag moet Jelle binnen blijven.
Maar moeder zegt: 'Weet je wat? Er moeten nog zoveel kerst- en nieuwjaarskaarten gestuurd worden. Als jullie die nu eens zelf gingen maken. Is dat niet een leuk idee?'

NIEUWJAARSKAARTEN *liedje*

We maken zelf de kaarten
voor kerst en voor nieuwjaar,
we plakken en we kleuren
en we knippen met de schaar.
We tekenen een rendier
hand in hand met Donald Duck
en ook een roze varken, want
een varkentje brengt geluk.
Een kaart voor kleine Jantje,
en eentje voor oom Jaap,
die krijgt een olifantje
en m'n tante krijgt een aap!
We maken ze allemaal zelf
en we moeten er nu nog elf.

En ook voor alle kind'ren
die wonen in de buurt,
ze vinden het geweldig
als je hun een kaartje stuurt.
M'n vader zegt dat dat niet mag,
omdat het zoveel kost,
je ziet je vriendjes iedere dag,
dat hoeft niet over de post.
Maar moeder zegt: Een stuk of zes,
dat mag voor deze keer
omdat het kerstvakantie is,
maar dan ook echt niet meer.
En eentje voor oma in Delft,
dan zijn we zowat op de helft.

Ik teken nog een kerstboom
met een engeltje in de top.
Het wordt een blauwe kerstboom,
want *al* m'n groen is op!
We maken zelf de kaarten
voor kerst en voor nieuwjaar,
we tekenen en we kleuren
en we knippen met de schaar.
Nu zijn ze af, en dus
doen we ze op de bus.

De graaf van Weet-ik-veel

In Umperadeel daar stond een kasteel,
daar woonde de graaf van Weet-ik-veel,
een boze graaf, een woeste graaf,
een graaf met ijzeren kuiten.
En iedere keer als een dame of heer
daar langs moest gaan in het hondeweer,
dan stuurde de graaf van Weet-ik-veel
zijn vurige draak naar buiten.

O griezel, en als dan de maan stond te schijnen,
dan wapperden daar de gescheurde gordijnen,
dan kropen daar van die geniepige dieren,
dan kwamen er vam- en andere pieren,
en adders en uilen en slangen en padden
en beesten die zeventien staarten hadden.
En als je daar eenmaal heen was gegaan,
dan kwam je er nooit meer levend vandaan.
Gruw! Gruw! Gruw! Gruw! Gruw!

En vlak bij het kasteel van Umperadeel,
daar woonde de jonkvrouw Goud-in-me-keel,

die zong zo prachtig
als zij in het griesmeel stond te roeren.
En denk er es an, die boze man,
die boze graaf verzon een plan.
O lieve help, wat deed hij dan?
Hij wilde haar ontvoeren!

Toen 's avonds de maan begon te stralen,
toen ging hij de schone jonkvrouw halen.
Hij bond haar vast met een sokophouder,
hij zwaaide haar over zijn linkerschouder,
hij voerde haar mee in het nachtelijk uur,
en daar stond de draak en hij spuwde vuur!
Daar kwamen de uilen en slangen en padden.
Gruw! Gruw! Gruw! Gruw! Gruw!

Wat deed de jonkvrouw Goud-in-me-keel?
Begon zij te gillen? Integendeel.
Zij ging aan het zingen van troela-hi-ha,
van falderidee en jolderida!
En al de slangen en padden en uilen
begonnen toen zacht van ontroering te huilen.
En de draak werd mak en dat zie je niet vaak,
dat zie je maar zelden, een makke draak!

Daar in het kasteel van Umperadeel,
daar woont nu die graaf van Weet-ik-veel
en alle gordijnen zijn weer heel.
Nu wonen ze daar te zamen.
Nu drinken ze thee, zo knus met z'n twee
en de draak zit iedre middag op een kussen voor de ramen.

De lammetjes en de boze wolf

Er waren eens twee lammetjes, ze heetten Florrie en Lorrie en ze woonden met hun moeder in de wei. Het waren hele lieve lammetjes, maar dom waren ze wel, hoor, erg dom. Moeder zei altijd tegen Florrie en Lorrie: 'Jullie mogen tot aan het watertje lopen en dan weer terug. En je mag ook tot aan de vlierstruik lopen en dan weer terug. Maar je mag nooit verder gaan dan de vlierstruik, want anders komt de wolf en eet je op.'

'Ja ma,' blaatten de lammetjes Florrie en Lorrie. Maar o, ze waren zo dom en ongehoorzaam. Op een dag gingen ze wandelen tot het watertje en weer terug. En toen tot aan de vlierstruik... En weer terug? Nee, nee, dat was het juist, ze gingen verder dan de vlierstruik... En daar had je het al, daar stond de boze wolf.

'Dag lammetjes,' zei de boze wolf met een vriendelijke stem.

'Dag meneer,' zeiden Florrie en Lorrie. 'U bent toch niet de boze wolf?'

'Warempel niet,' zei de boze wolf. 'Ik ben Simon Herdershond. Gaan jullie mee een eindje wandelen?'

'Astublieft, meneer Simon,' zeiden Florrie en Lorrie en ze dartelden en huppelden en sprongen en dansten naast de wolf.

Nu, de boze wolf dacht bij zich zelf: Nog tien stappen, dan eet ik ze op. Nog acht stappen, dan eet ik ze op. Nu nog zes, nu nog vier stappen, nog twee stappen, nu nog één stap... Toen stond de wolf stil. Hij sperde zijn grote boze muil wijd, wijd open en wilde net *hap* zeggen... en toen...

Daar kwam de echte Simon Herdershond aangelopen, zo hard als hij kon. Hij blafte en baste van woef, woef, woef! Hij kwam met een vaart aanstuiven en de boze wolf werd zo bang, zo bang, dat hij jankend de benen nam, zo hard hij kon, het bos in.

De lammetjes stonden verschrikt te kijken en Simon Herdershond zei: 'Jullie stoute, domme, ongehoorzame lammetjes. Gauw naar je moeder! Gauw!'

En de lammetjes Florrie en Lorrie liepen met hangende pootjes naar hun moeder terug. En ze dartelden en huppelden en sprongen en dansten niet meer, o, nee, ze liepen met hangende pootjes.

Simon Herdershond joeg ze naar hun moeder en de moeder zei: 'Ik dank je wel, Simon Herdershond. Je hebt mijn kindertjes gered, je bent een dappere hond. Maar jullie zijn domme lammetjes. En voor straf krijg je vanavond geen klaver en alleen maar gras. En je moet vroeg naar bed.'

De lammetjes huilden allebei een beetje, een heel klein beetje. Maar sinds die tijd zijn ze veel verstandiger geworden. Ze wandelen weer tot aan het watertje en terug. En ze wandelen tot aan de vlierstruik en terug. Maar nóóit verder, en dat is maar goed ook.

Mr. Van Zoeten

Meester Van Zoeten
waste zijn voeten
zaterdags in het aquarium.
Onder het poedelen
zat hij te joedelen
't liedje van hum-tiedelum-tiedelum!

Had hij geen tobbe
om zich te schrobben?
Had hij geen badkamer, had hij geen kom?
Zeker, dat had ie.
Wel, waarom zat ie
in dat aquarium dan, waarom?

Hij kan zijn vissen
geen ogenblik missen!
Meester Van Zoeten is dol op zijn vis.
Iedere zaterdag,
is het zoet-waterdag,
je moest eens weten, hoe enig dat is!

'k Kan me vergissen,
maar raken die vissen
soms niet een tikkeltje uit hun hum?
't Zal toch wel moeten,
als meester Van Zoeten
altijd daar zit in 't aquarium!

Mocht je 'm ontmoeten,
doe hem de groeten,
zaterdags in zijn aquarium.
Onder het wassen
en onder het plassen
zingt hij van hum-tiedelum-tiedelum.

Grote poes gaf les aan haar zoon Kattemenoel

Ik zal je leren blazen tegen 't grote kattekwaad.
Ik zal je leren blazen tegen 't grote wafwoefwaf,
het grote wafwoefwaf dat altijd door de wereld gaat.
En als je dan goed blazen kan dan blaas je 't van je af,
Kattemenoeltje,
Kattemenoel.

Ik zal je leren spelen met je eigen mooie staart
of met een heel klein kloenseltje of met een pluisje touw.
Wij amuseren ons met niks, dat ligt in onze aard.
Die arme mensen, ach, die amuseren zich niet gauw.
Die hebben daar Wim Kan voor nodig, liefje, op zijn minst.
Wij katten kunnen zonder hem en dat is onze winst,
Kattemenoeltje,
Kattemenoel.

Ik zal je leren krabben tegen 't bloemetjesbehang
en lekker met je nagels langs de mooie nieuwe stoel.
Daar zijn de mensen razend om, dat weten we allang.
Die arme dwazen kennen niet dat zalige gevoel,
Kattemenoeltje,
Kattemenoel.

Ik zal je leren stelen uit de wiebelende pan.
Ik zal je leren kopjes geven aan de goede man.
Ik zal je leren zwerven op de smalle daken 's nachts
met helle groene koplampen die schijnen onverwachts.
Ik zal je leren lopen op een blad met twintig glazen,
zonder er een te breken en ik zal je leren blazen.
Ik zal je leren blazen tegen 't grote kattekwaad
en tegen 't grote wafwoefwaf dat door de wereld gaat.
En dan ben jij een goede kat, zo een als ik bedoel,
Kattemenoel,
Kattemenoel,
Kattemenoel.

Het meisje dat haar naam kwijt was

Iedere zondag als Tom met zijn vader naar de kerk ging, kwamen ze langs een hoge muur. En in die muur was een deur. 'Wat is er achter die deur?' vroeg Tom. 'Maar jongen,' zei z'n vader. 'Er *is* helemaal geen deur in die muur.'

Toch zag Tom die deur heel duidelijk en op een keer, toen zijn vader een praatje maakte met de koster, liet hij zijn vaders hand los en ging door die deur.

Hij liep tastend door een lange donkere gang tot hij aan een volgende deur kwam. Toen hij die opende, stond hij in een kamer.

Aan tafel zat een meisje. En tegenover haar zat een grote

haas. De haas zat daar met over elkaar geslagen benen en rookte een sigaret uit een lange sigarettepijp. Ze speelden een partijtje schaak.

'Goeiemorgen,' zei Tom.

'Goeiemorgen,' zei de haas. 'Neem een stoel en ga zitten.'

Tom ging zitten en keek het meisje aan. Ze had zulke treurige ogen en hij vroeg: 'Hoe heet je?'

Het meisje begon te huilen. Ze stond schreiend op en bedekte haar gezicht met de handen.

'Mispunt,' zei de haas. 'Waarom vroeg je dat nou?'

'Ik eh... ik wist niet dat ze zou gaan huilen,' zei Tom. 'Ik vroeg toch gewoon haar naam.'

'Dat is het juist,' zei de haas. 'Ze is haar naam kwijt. En zolang ze haar naam kwijt is, moet ze hier blijven en schaakspelen tot in de eeuwigheid. We wachten tot ze zal worden opgebeld.' En de haas wees met zijn sigarettepijp naar een telefoontoestel in de hoek.

'Maar wie moet haar dan opbellen?' vroeg Tom.

'Dat weten we niet,' zei de haas. 'We hopen dat op een dag de telefoon zal gaan en dat iemand door de telefoon haar naam zal zeggen. Als dat zo is, dan is ze verlost.'

'Ik wil haar graag helpen...' stamelde Tom. 'Kan ik misschien...?'

'Jij hebt haar aan het huilen gebracht,' zei de haas korzelig. 'Nu huilt ze vijfendertig uur. Mispunt! Verdwijn!'

Tom verliet zwijgend de kamer, ging de lange gang weer door, deed de deur open en stond buiten in de stralende zon. Daar was zijn vader nog steeds met de koster in gesprek; hij had Tom niet eens gemist en ze gingen naar de kerk.

Maar Tom kon het meisje niet vergeten. Ik durf niet meer naar haar toe te gaan, dacht hij, maar ik moet haar naam te weten zien te komen. En dan moet ik haar opbellen. En ik moet haar naam noemen door de telefoon. Maar hoe kan ik ooit haar naam vinden? Misschien heet ze Marietje of Geertruida of Ramona... hoe weet ik dat ooit! Al denkend liep hij door de tuin achter zijn huis en hij zag naast de schuur een klimroos, een allerprachtigste rode roos. Er was een houten kaartje bij en daarop stond: Carmelita. Dat was de naam van de roos. Misschien heet ze Carmelita, dacht Tom. Ze is net een roos. Ik zal haar opbellen en ik zal haar Carmelita noemen. Hij liep naar binnen in de gang waar de telefoon stond. En daar, vlak bij de kapstok op een krukje, zat de haas. Hij zat daar met over elkaar geslagen benen en rookte zijn sigaret uit het pijpje. De haas keek Tom peinzend aan en zei: 'Het nummer is zeven maal nul.'

'O...' zei Tom verbluft en hij begon nullen te draaien. Maar toen hij bij de derde nul was, zei de haas luchtigjes langs zijn neus weg: '...maar Carmelita heet ze niet.'

'O,' zei Tom weer en legde de hoorn op de haak. Hij borg zijn hoofd in zijn handen en zuchtte. 'Hoe heet ze dan?' vroeg hij. Maar toen hij opkeek was de haas weg.

Treurig liep hij het huis uit en begon te dwalen door de stad. De ene straat in en de andere uit, totdat hij weer bij de kerk kwam. En daarachter was het vergeten kerkhof waar de klimop groeide over de kruisen en stenen. Hij liep langs de vele oude graven en zag een kleine steen waarop stond: Judith. Elf jaar.

Misschien heet ze Judith, dacht Tom. Ze is net zo treurig en bleek als de stenen op het kerkhof. Ze moet Judith heten. Hij wilde het hek uit lopen om thuis te gaan telefoneren, maar toen zag hij op een van de zerken de haas zitten. Met gekruiste benen zat de haas daar en keek hem aan. 'Judith heet ze niet,' zei hij nors.

Tom ging naar huis en die nacht kon hij niet slapen. Hij lag aldoor meisjesnamen op te noemen: Amanda en Rozelinda en Janneke en Marjolein en Liesbeth. En Esther en Godelieve en Mientje. De maan scheen door zijn venster; hij kon het in bed niet meer uithouden en ging naar beneden, naar de zitkamer.

Het was donker, maar de maan scheen op zijn moeders oude wortelnoten bureautje en het leek hem of hij twee hazeoren zag verdwijnen achter het meubeltje. Tom deed een van de laatjes open en zag een opschrijfboekje van zijn moeder.

Het was heel oud, het was van jaren geleden en hij bladerde het door. Daar stond: Dominee komt koffiedrinken half twaalf. En een bladzijde verder: Tuinman betalen f 2,75. Allerlei dingen had zijn moeder daarin opgeschreven om ze niet te vergeten. Maar dat was lang geleden. Tom wilde het boekje weer terugleggen toen zijn oog viel op een haastig neergekrabbeld regeltje. Er stond: Stroop laten halen door Tom en Tijntje.

En plotseling zag hij het heel duidelijk voor zich. Hij was nog klein en hij moest een boodschap doen met zijn buurmeisje Tijntje. Hij wist nog dat ze samen door de steeg liepen. Hij wist nog dat ze samen het kleine kruidenierswinkeltje binnengingen waar het rimpelige witharige vrouwtje achter de toonbank stond... en verder wist hij zich niets meer te herinneren. Alleen was hij nu heel gelukkig en hij liep naar de gang waar het telefoontoestel stond. Hij maakte geen licht aan want het maanlicht was voldoende. Zeven maal draaide Tom het cijfer nul. 'Hallo,' zei hij zacht. 'Ben je daar, Tijntje?'

En een stem door de telefoon zei: 'Ik ben het, Tom.'

'Zal ik naar je toe komen?' vroeg Tom.

'Ik ben er al,' zei de stem. 'Kijk maar naast je.' Tom keek op en nu zat op het krukje het meisje dat haar naam was kwijt geweest, zijn buurmeisje Tijntje.

Ze lachte en gaf hem een kus. 'Dank je,' zei ze. 'Weet je nog het oude vrouwtje van de kruidenierswinkel? Ze was een heks en ze heeft me opgesloten en mijn naam afgepakt. En jij hebt me mijn naam teruggegeven.'

Ze gingen samen naar buiten. De maan verbleekte en de oostelijke hemel werd bloedrood. De zon ging op en uit de huizen kwamen de mensen.

'Daar is dat meisje...' riepen ze. 'Het meisje dat zo lang is weg geweest, hoe heet je ook weer, meisje?'

'Ik heet Tijntje,' zei ze. Ze legde haar arm over Toms schouder en samen gingen ze langs de muur bij de kerk. Ze zagen de deur en voor de deur stond de haas. Hij nam de sigarettepijp uit zijn bek, wuifde hen hartelijk toe en ging door de deur naar binnen. Tom wilde hem achterna gaan, maar Tijntje zei: 'Niet doen, Tom, er *is* immers geen deur?' En ze had gelijk.

Er was geen deur in de muur.

Het stoeltje dat kon wandelen

Ziedaar mevrouw Van Mandelen.
Zij heeft in haar boudoir
een stoeltje dat kan wandelen.
Dat dribbelt achter haar.
En als mevrouw uit winkelen gaat,
dan kan zij, midden op de straat,
een beetje rusten op die stoel;
daar zit ze, midden in 't gewoel.
Ze wordt door iedereen gegroet.
De dominee tikt aan z'n hoed:
O, dag mevrouw Van Mandelen,
dat stoeltje dat kan wandelen!

Het stoeltje volgt haar op de voet,
waar ze ook gaat of staat.
Ook als ze naar de kerk toe moet.
Ze komt meestal te laat.
Mevrouw en 't stoeltje, allebei,
gaan op hun teentjes langs de rij
en als mevrouw dan knielt, in haast,

Reus Borremans wilde ook trouwen

Vlak bij het stadje Tidderadeel, aan de voet van een berg, woonde een reus. Hij was dertig meter lang, dat is groot, zelfs voor een reus en hij zag er angstaanjagend uit. Maar dat leek erger dan het was, want deze reus, Borremans heette hij, was braaf en vriendelijk en deed nooit iemand kwaad.

Eenmaal per week bracht hij een bezoek aan het stadje Tidderadeel. Van tevoren blies hij dan op een fluitje, dat wil zeggen, voor hem was het een fluitje maar voor alle mensen klonk het als het geluid van duizend stoomketels. Al het verkeer stond dan stil op straat, iedereen riep: 'O, grutjes, daar komt Borremans, laten we gauw wegwezen.' Alle auto's schoten zijstraatjes in en alle melkkarretjes werden aan de kant van de weg gezet, want Borremans had zulke grote voeten dat je vreeslijk moest oppassen er niet onder te komen.

Op zekere dag trouwde de zoon van de burgemeester met de dochter van de notaris. Er was groot feest in Tidderadeel en wekenlang hadden de mensen erover gepraat of het ook nodig was om Borremans bij het feest uit te nodigen. 'Zouden we dat wel doen,' zei de burgemeester, 'we kunnen hem niet een glaasje wijn aanbieden, het zou wel meer dan een heel vat moeten zijn en met één hap eet hij een hele koe op. Zo'n gast bij ons feest kost schatten!' 'Kom nou, burgemeester,' zeiden de wethouders, 'laten we nou die Borremans een stuk of wat gebraden koeien voorzetten en een paar vaten wijn, dan kan hij op het plattedak van het stadhuis gaan zitten met zijn voeten op de markt.'

En zo gebeurde het ook. Borremans zat daar op het stadhuis; op de markt stonden tien gebraden koeien voor hem klaar en tien vaten wijn en tussen zijn voeten schreed het bruidspaar het stadhuis binnen. Daar werden ze getrouwd en onder gejuich van de menigte kwamen ze de stadhuisdeuren weer uit.

'Tjonges, wat regent het hard,' zei de bruidegom. 'Welnee,' zei de bruid, 'kijk eens de zon schijnt.' Maar inderdaad, de hoge hoed van de bruidegom was kletsnat en het water stroomde over zijn jas. Maar een paar bruidsmeisjes, die ook doornat werden, keken naar boven en zeiden: 'Borremans huilt!' En warempel, die grote zware reus Borremans zat daar boven op het stadhuis te huilen, te huilen, het water stroomde met regenbakken tegelijk naar beneden. De burgemeester schreeuwde door een luidspreker naar boven: 'Wat scheelt eraan, meneer Borremans?'

'Ik wil ook trouwen,' schreeuwde Borremans naar beneden en zijn stem klonk als het gedonder van het onweer, alleen veel verdrietiger, ja bijna zielig.

Dat was me wat! De reus Borremans wilde ook trouwen, nu hij gezien had, hoe leuk zo'n bruiloft was. Maar waar zou er een vrouw voor hem te vinden zijn? Borremans riep nu weer naar beneden: 'Weten jullie niet een aardig vrouwtje voor mij?' Heel Tidderadeel stond verschrikt stil en keek naar boven. Natuurlijk, ze begrepen het best, dat Borremans ook wel eens bruiloft wilde vieren maar nee, in heel de stad was er geen reuzin. 't Waren daar allemaal gewone meisjes en de allerlangste was een meter tachtig, en dat was nog veel te klein voor zo'n enorme reus. Gelukkig kreeg er iemand een idee en schreeuwde naar boven: 'Meneer Borremans, zet u eens een advertentie in de Tidderadeelse Courant!' Dat was een goede inval. Het grote gezicht van de grote Borremans klaarde helemaal op. Dat zou hij doen! De tranenvloed hield op, hij vierde vrolijk feest tussen de Tidderadelenaren en at in een paar happen zijn tien kocien op en dronk zo eventjes van slok slok zijn wijn. En de volgende avond verscheen in de Tidderadeelse Courant de volgende advertentie:

Beschaafde reus, 30 meter, zoekt kennismaking met dito reuzin, flink postuur. Brieven met foto's enz.

Een paar dagen later werden er aan het bureau van de Tidderadeelse Courant een paar enorme brieven afgeleverd, zo groot, dat de postbode er geen raad mee wist en elke brief op een aparte vrachtauto werd afgeleverd. Alles bij elkaar kwamen er vier van die reuzen-brieven en in een paar auto's werd deze correspondentie aan het huis van de reus afgeleverd.

De reus Borremans maakte direct de brieven open en bekeek eerst de portretjes van de reuzinnen.

Er was er eentje uit China. Zij had scheve ogen en Borremans legde de brief opzij, want hij hield niet van scheve ogen.

De volgende brief kwam uit Lapland, van een Lapse reuzin, die een beremuts op had, waar zeker wel vijftig beren voor waren gevild. Ook deze brief werd terzijde gelegd. Dan was er nog een uit Afrika, een portret van een pikzwarte reuzendame, en teleurgesteld legde Borremans ook haar weg.

Maar de laatste, och, wat was dat een lief reuzinnetje! Ze was zevenentwintig meter lang, schreef ze en ze woonde in Binkeradeel, dat was maar vijfhonderd km van Tidderadeel af.

Borremans werd direct verliefd op de aardige krulletjes van dit reuzenmeisje. Hij ging meteen op weg naar Binkeradeel met stappen van honderd meter en dezelfde avond nog kwam hij verloofd terug met de reuzin Klarina aan zijn arm.

Heel Tidderadeel had de vlaggen uitgestoken en juichte het jonge paar toe. En de volgende dag werd een grote bruiloft gevierd aan de voet van de berg. De bruid zorgde voor een feestmaaltijd. Zij had taart gebakken, een ronde taart, waar wel vijftig mensen omheen konden zitten en waar zij zomaar stukjes van mochten afhappen. Er stond een glas uit de kast van Borremans, vol met wijn, maar het glas was zo groot, dat alle Tidderadelenaren er bekers mee konden vullen. Dan waren er stukken gebraden vlees, zo groot als kippenhokken en een stuk noga, zo groot als een auto, iedereen probeerde ervan te bijten, maar er bleven zoveel gebitten in vast zitten dat dit stuk noga verder verboden werd.

Het werd een groot feest. De bruid zag er snoezig uit met een witte sluier en witte schoenen zo groot als zeilschepen. En de bruidegom had een hoed op zo groot als een fabrieksschoorsteen.

Er werd tot laat in de nacht gedanst en gezongen en gedronken en het bruidspaar was erg, erg gelukkig.

En dat bleven ze óók vele jaren lang. Toen er kinderen kwamen, waren dat reuzen-kinderen, die veel kattekwaad uithaalden. En misschien komt er nog wel eens een verhaaltje over die reuzen-kinderen, want dat was me een stel!

Zomeravond

Ik lig al in bed,
maar de zon is nog op
en de merel is zó hard aan 't fluiten!
Ik lig al in bed
met de beer en de pop
en verder is *iedereen* buiten.
De radio speelt
in de kamer benee
of is het hiernaast bij de bakker?
Nou hoor ik een kraan.
O, ze zetten weer thee
en ik ben nog zo vreselijk wakker.

Ik lig al in bed
en ik mag er niet uit,
want de klok heeft al zeven geslagen.
Ik wil een stuk koek
en een halve beschuit,
maar ik durf er niet meer om te vragen.

Ik lig al in bed
en ik speel met mijn teen
en de zon is nog altijd aan 't schijnen.
En ik vind het gemeen dat *ik* nou alleen
in mijn bed lig, met dichte gordijnen.

Tante Tuimelaar verdwaalde

Tante Tuimelaar was een dikke duif. Ze woonde in de duiventil bij meneer Onderman op het platje.

De hele duivenfamilie keek erg tegen haar op, want zij kon dingen, die de anderen niet konden. Ze kon helemaal uit zich zelf de weg naar huis terugvinden, al was ze nog zo'n eind weg. De jonge duifjes in de til, kinderen van nicht Klazina Dof, zeiden tegen haar: 'Tante Tuimelaar, vertelt u eens, hoe gaat het eigenlijk, zo'n reis van u.'

'Wel kinderen,' zei tante, 'kijk, dat gaat zó. Ik word in een mandje gedaan, he, en dan kom ik in de trein en dan rijden we heel ver weg, ergens naar Afrika of naar Groningen of nog verder.'

'Nee toch,' zeiden de kleine duifjes.

'Ja, luister nu, en dan kom ik daar bij mensen aan, die doen een ring om mijn poot met een kokertje en daarin zit een briefje, een Belangrijk Briefje, en dat moet ik dan terugbrengen bij meneer Onderman hier. Nou en dat doe ik dan.'

'Maar tante, hoe weet u dan zomaar de weg terug?'

'Tja,' zei tante, 'dat weet ik niet precies, ik vlieg maar, het gaat vanzelf.'

'Och, och,' zeiden de kleine duifjes, 'als we dat ook eens konden leren.'

Tante Tuimelaar ging trots op de til zitten en riep: 'Roekoe, roekoe!'

'Dat is mijn beste duif,' zei meneer Onderman tegen zijn

neefje beneden in de tuin. 'Zie je haar zitten? Ze vindt altijd de weg terug.'

'Hoe doet ze dat dan,' vroeg het neefje.

'Wel,' zei meneer Onderman, 'dat beestje heeft instinct.'

'Wat hebben we nou,' zei tante Tuimelaar verontwaardigd boven op haar til. 'Wat zegt hij daar? Zegt hij, dat ik stink? Nu nog mooier,' en ze bleef even luisteren wat er nog meer over haar gezegd werd.

'Hele knappe mensen proberen steeds maar weer uit te vinden hoe het komt, dat een duif de weg terugvindt,' zei meneer Onderman, 'maar ze hebben het nog steeds niet gevonden. Ze denken nu dat een duif onder zijn ogen iets heeft wat hem het vermogen geeft de weg te vinden.'

'Tjonge,' zei tante Tuimelaar, 'zou ik iets onder mijn ogen hebben? Nooit iets van gemerkt. Maar ze moeten niet zeggen dat ik stink, want dat is niet waar.'

De volgende dag ging tante Tuimelaar weer op reis. Ze nam afscheid van alle kleine duifjes. Ze werd in een mooi mandje gedaan en reisde heel ver weg, niet naar Afrika maar wel naar Groningen.

'Daar hebben we tante Tuimelaar,' zeiden de mensen in Groningen en toen tante had gegeten en gedronken kreeg ze een ring en een kokertje met een briefje aan haar poot en vanaf het Groningse duivenplat werd ze losgelaten.

Ze vloog meteen in de goede richting, maar onderweg moest ze aldoor denken aan wat meneer Onderman had gezegd. Ik heb iets onder mijn ogen, dacht ze, en daarom weet ik, waarheen ik moet vliegen. Is dat zo? Weet ik wel hoe ik vliegen moet. Och lieve help, die tante Tuimelaar, opeens wist ze niet meer hoe ze thuis moest komen. Door al dat gepraat van: hoe doe je dat toch, en hoe kan een duif dat zomaar, was tante helemaal de kluts kwijt en wist het zelf niet meer.

'Verdraaid,' zei ze, 'ik ben verdwaald' en ze vloog naar beneden en ging zenuwachtig op een hek zitten. 'Afschuwelijk,' zei ze, 'wat moet ik nu?'

In de wei kwam een dikke koe op haar af. 'Dááág,' zei de koe, 'hoe maakt u het, Duif?'

'Slecht,' zei tante, 'ik ben in Groningen geweest. Nu moet ik naar Rotterdam. Weet jij de weg?'

'Nee,' zei de koe. 'Ik weet wel de weg naar de stal. Die weet ik dan ook goed.'

'Ik begrijp het niet,' klaagde tante Tuimelaar. 'Ik weet altijd vanzelf waar ik heen moet, dat is nu eenmaal een hebbelijkheid van ons. Ik ben postduif van mijn vak. En nu hebben ze me aan mijn hoofd gezanikt hoe het komt dat ik de weg weet. Zó erg, dat ik nu de weg niet meer weet, als u me volgen kunt, Koe.'

'Jawel,' zei de koe. 'Als ik het goed heb, hebt u zich door mensen in de war laten brengen. Dat is fout. Ik ga mijn gang. Als het tijd is om gras te eten, dan eet ik gras en als het tijd is om te herkauwen, dan herkauw ik. Maar ik denk er niet over na, waarom ik gras eet en herkauw. Weet je wat het beste is? Doe een dutje hier op het hek. Als u wakker wordt gaat u gewoon vliegen. En niet meer denken aan wat de mensen gezegd hebben.'

Tante Tuimelaar was moe van de zenuwen en ging een heerlijk dutje doen boven op het hek. Toen ze wakker werd, zag ze aan de zon, dat het al laat was. 'Lieve deugd,' zei ze, 'ik moet naar huis en gauw ook.' Ze dacht er helemaal niet meer aan, waar ze vandaan kwam en wat meneer Onderman had gezegd. Ze vloog gewoon, ja en heel hard, want o, als ze voor donker niet thuis was.

Hijgend en puffend kwam tante op het platje aan.

'Hoe hebt u het gehad, tante,' zeiden de kleine duifjes.

'Dank je,' zei tante, ''t gaat. Bijna was ik verdwaald, dat is de schuld van meneer Onderman.'

'Kijk, daar hebben we tante Tuimelaar,' zei meneer Onderman en pakte tante beet om het briefje uit het kokertje te halen. 'Zo, zo, ben je daar? 't Is toch een wonderlijk instinct, hoor.'

'Stinkt!' zei tante verontwaardigd, 'het mocht wat! Roekoe!' Maar dat verstond meneer Onderman niet.

's Avonds laat

Wanneer het buiten donker wordt, dan komt de witte maan.
Dan worden in de huizen de gordijntjes dichtgedaan.
Dan slaapt de dikke timmerman, dan slaapt mevrouw Van
  Buren,
en al de kleine leeuwerikjes en de tureluren,
en al de zoete veulentjes die slapen bij hun moeder,
en al de kleine varkentjes en ook de varkenshoeder.
Dan slaapt het witte koetje en dan slaapt het zwarte hondje.
En al de kleine kindjes met hun vinger in hun mondje
en al de kippetjes zijn zo moe, zo moe van 't buitenspelen...

Dan komt dat gekke mannetje, dat de dromen uit moet delen.
En als het dan tien uren speelt, daar buiten op de toren,
dan droomt de dikke timmerman van beitelen en van boren.
Mevrouw Van Buren droomt gewoon van olie en azijn
en al de veulens dromen dat ze grote paarden zijn.
En al de kleine haantjes dromen dat ze kunnen kraaien
en dat ze blauwe staarten hebben, net als papegaaien.
De kleine eendjes dromen van het kroos en van het water
en al de leeuweriken dromen zomaar, over later.
Jazeker, als het klokkenspel tien uren heeft gespeeld,
dan heeft dat gekke mannetje al zijn dromen uitgedeeld.

Nog éëntje is er over, met veel roze en veel blauw.
Als jij vanavond slapen gaat, dan is die droom voor jou.

De heerlijkste 5 december in vijfhonderdvierenzeventig jaar

'Daar zitten we weer,' zei Sint.

'Zegt u dat wel,' zei Piet. 'Op de stoomboot naar Nederland. Net als ieder jaar. Voor de hoeveelste keer is dat nou, Sinterklaas?'

'Voor de vijfhonderdvierenzeventigste keer,' zei de Sint.

'Bah,' zei Piet.

'Wat nou "bah"...' zei Sinterklaas verontwaardigd. 'Waarom "bah"?'

'Ik heb er zo genoeg van,' zei Piet.

'Maar je houdt toch van de kinderen? En de kinderen houden toch van ons?'

'Welnee,' zei Piet. 'Ze houden alleen van onze cadeautjes. 't Gaat ze enkel om de pakjes. Verder nergens om. En 't gaat nog stormen ook. Bah!'

‘Hoor ’s Piet, dat mag je volstrekt niet zeggen,’ zei Sinterklaas boos. ‘Als je nog een keer “bah” zegt, ontsla ik je. De kinderen houden *wel* van ons. Ze zijn gek op ons...’ *Hoeii*... voor Sinterklaas verder kon spreken kwam er een windvlaag die bijna z’n mijter meenam... de storm stak op... de lucht werd inktzwart... de golven werden hoger en hoger...

‘Daar heb je ’t nou...’ schreeuwde Piet. ‘We vergaan!’

‘Onzin,’ riep Sinterklaas. ‘’t Is al vierhonderddrieënzeventig keer goed gegaan met die boot, waarom zouden we dan nu ineens... haboeh...’ Sinterklaas kreeg een grote zilte golf naar binnen en hij moest met de ene hand z’n mijter en z’n staf vasthouden en met de andere de reling.

De storm werd steeds erger en heviger en woester en wilder en vreselijker. Huizehoge golven, torenhoge golven... de stoomboot leek wel een plastic speelgoedscheepje op de Westeinder Plas.

‘Ik ben zo bang...’ huilde Piet.

‘Onzin!’ riep Sinterklaas weer.

En toen ineens... een ontzettende schok. Het schip was op een klip gevaren. ‘Help... help...’ schreeuwde Piet. ‘Help, de boot zinkt...’

'Wat zei je zoëven, Piet?' vroeg Sinterklaas, terwijl hij probeerde te zwemmen met zijn mijter op en zijn staf in de hand.

'Ik zei: De boot zinkt...' kreunde Pieter, die naast hem zwom.

'O,' zei Sinterklaas. 'Wel, je had gelijk. De boot is gezonken.'

'O, wat ben ik nat,' zei Piet. 'O, wat ben ik nat en koud en zielig. O, wat heb ik een medelijden met mij!'

'Denk liever aan die arme kindertjes in Nederland,' zei Sinterklaas. 'Als de Sint verdrinkt zullen ze nooit meer lekkers en speelgoed krijgen op vijf december. Daar ga ik, Piet. Ik ben te oud om in de Golf van Biskaje te liggen. Vaarwel dan Piet.'

'Nee,' riep Piet wanhopig, 'niet zinken Sinterklaas. Daar drijft een grote balk! Misschien kunnen we erop klimmen.'

He he, voorlopig waren ze gered. De goede Sint was z'n staf kwijtgeraakt. Z'n mooie mijter had hij nog op, maar het water droop eruit en het leek meer op een pudding dan op een mijter.

'En al m'n cadeautjes naar de haaien...' zuchtte Sinterklaas. 'En de marsepein en de chocoladeletters en de suikerbeesten, allemaal weg, allemaal weg. Wat moet er van ons worden? Hoe lang zullen we nog ronddobberen?'

'Ik zie land!' riep Piet. 'Kijk daar, land! En daar komt al een bootje om ons te redden. Dit moet de kust van Frankrijk zijn. Een Frans bootje!'

Gered... Eindelijk gered!

Druipend en rillend stonden Sinterklaas en Piet in de kamer van een lieve vishandelaar in een Frans kustplaatsje.

'Nous sommes Saint Nicolas et Pierre,' zei Sinterklaas. Dat is Frans en het betekent: Wij zijn Sinterklaas en Piet. Maar de vrouw van de vishandelaar begreep het niet zo goed.

Ze zei enkel: 'Arme arme schipbreukelingen...' (ze zei het in het Frans natuurlijk). 'Doe die natte kleren maar uit. Drink deze warme melk. Ik zal u een pak geven van mijn man. Zijn zondagse pak. En voor de jongen heb ik nog wel een stel kleren van m'n zoontje.'

'Hoe kunnen wij u ooit bedanken,' zei Sinterklaas. 'Hoe kunnen wij u ooit betalen. Al ons geld ligt in de zee.'

'Dat hindert niet,' zei de goede vrouw. 'U kunt ook bij ons logeren vannacht.'

'Dat is erg vriendelijk van u. Maar we hebben geen tijd,' zei de Sint. 'We hebben zelfs vreselijke haast. Hoe komen we ooit op tijd in Nederland. O lieve deugd, we komen nooit op tijd in Nederland. Daar zitten ze nu op ons te wachten en we komen te laat. Trouwens we hebben niet eens geld om verder te reizen.'

'Mijn man brengt u wel even naar Nederland,' zei de lieve mevrouw.

Sinterklaas en Piet zaten op de open vrachtauto en klampten zich vast, want de visboer reed ontzaglijk woest. Hij reed door alle stoplichten en dwars door alle douane-posten. Hij gierde door de bochten en raasde langs de wegen en denderde door de stadjes. Maar voor Sint reed hij nog niet hard genoeg. 'Als we maar op tijd zijn... als we maar voor vijf december aankomen...' zuchtte hij. 'Harder astublieft, harder.'

En na een hele dag en een hele nacht rijden waren ze in Nederland. 'Naar Amsterdam?' vroeg de visman.

'Jazeker, naar Amsterdam,' zei Sinterklaas. 'De hoofdstad eerst.'

'Ik zet u hier af,' zei de visboer. 'Midden in Amsterdam. En ik ga direct terug; mijn vrouw zit te wachten. Adieu.' En weg was hij.

Daar stonden ze, in Amsterdam, midden op de Dam, voor het Paleis. Tussen de duiven. Tussen de mensen. Sinterklaas keek eens om zich heen en deed wat hij ieder jaar deed als hij in Nederland was: Hij knikte en hij wuifde en hij glimlachte. Er kwamen heel wat mensen langs. Maar ze keken niet eens naar Sint en Piet. Niemand keek. Niemand herkende hen. Helemaal niemand.

'Ik ben Sinterklaas,' zei de goede Sint tegen een voorbijganger.

De heer bleef even staan, snoof en zei: 'Brave man, je ruikt naar vis.' Toen liep hij door. Helaas, het was zo, ze roken naar vis. En niemand, niemand, niemand kende hen. Moedeloos gingen ze op een bank zitten bij het Monument.

'Daar zitten we nou,' zei Sint.

'Zegt u dat wel,' zei Piet. 'Geen cadeautjes. Geen geld. De mensen kennen ons niet. Heb ik het niet gezegd: Alleen om de cadeautjes houden de kinderen van u.'

Op dat moment kwam er een heel klein meisje voorbij aan de hand van haar Oma.

'Sinneklaas...' riep het kind.

'Dat is Sinterklaas niet,' zei Oma. 'Dat is zomaar een man.'

'Sinneklaas...' zei het kind koppig en probeerde zich los te rukken van Oma's hand.

Een ander kind riep ook: 'Sinterklaas.' Een klein jongetje begon te zingen: 'Sinterklaasje bonne bonne bonne.' En al heel gauw stonden er wel duizend kinderen om de bank die juichten en zongen en schreeuwden. De vaders en moeders zeiden knorrig: 'Kom toch mee, Rietje, toe dan toch Jantje, dat *is* Sinterklaas niet, dat kun je toch wel zien. Dat is een man die naar vis ruikt.' Maar de kinderen rukten zich los en gingen toch. Sinterklaas gaf alle kinderen een hand en luisterde naar de liedjes. 'Waar is uw staf, Sinterklaas? En waar is uw mijter? Waar is de zak met cadeautjes?' vroegen de kinderen. Sinterklaas vertelde van de schipbreuk.

‘Wat verschrikkelijk!’ riepen alle kinderen. ‘Arme Sinterklaas. Arme Zwarte Piet. De stoomboot is vergaan en nu zijn ze hier zonder hun kleren en zonder eten.’

Een paar grotere kinderen zeiden tegen elkaar: ‘Weet je wat. Sinterklaas heeft ons zoveel keren cadeautjes gegeven, laten we het nu eens omdraaien. Wij geven hém wat.’ Ze renden naar huis en kwamen terug met een heleboel pakjes. Er zaten boterhammen in en worstjes en appels en friten en flesjes melk. De een na de ander gingen de kinderen thuis iets halen. Behalve eten brachten ze echte cadeautjes mee. Ze gaven hun mooiste speelgoed, hun treinen en kraanwagens en speelgoedbeesten. Hun poppen en winkeltjes en keukentjes.

De grote mensen stonden in de verte te kijken en schudden het hoofd. ‘Wat een gekke boel,’ riepen ze. ‘Zo’n gewone man die naar vis ruikt...’

Er kwamen nog twee kinderen aan met een heel, heel groot pak. 'Wat zou daar in zitten?' vroeg Sinterklaas nieuwsgierig. Hij genoot zo van al die cadeautjes, hij kon er niet genoeg van krijgen. Voorzichtig maakte hij het grote pak open.

En wat zat erin? Een Sinterklaas-pak en een Zwarte-Piet-pak.

'We hebben het voor u gehuurd,' zeiden de kinderen. 'Met geld uit onze spaarpot. De pakken moeten wel terug, maar u mag ze een paar dagen houden.'

Sinterklaas kreeg tranen in zijn ogen, zo blij was hij. En Piet danste van geluk.

Achter de stenen leeuw van het Monument verkleedden zij zich. En toen ze weer te voorschijn kwamen, barstten alle kinderen in luid gejuich uit en zongen: 'Zie de maan schijnt door de bomen.'

Dit was weer de goede Sint, zoals hij elk jaar in Nederland kwam. Dit was weer de vrolijke Zwarte Piet. Nu zagen de grote mensen eindelijk ook, dat ze het heus waren. Niemand twijfelde meer. Al roken Sint en Piet nog steeds een beetje vissig... het hinderde niet meer.

Hij werd plechtig ontvangen, de Sint. Hij werd door iedereen toegejuicht, ook door de grote mensen en hij ging rond met Zwarte Piet, langs alle huizen, net of er niets gebeurd was. En cadeautjes om uit te delen had hij ook! Jazeker, al die pakjes die hij van de kinderen had gekregen, kon hij nu uitdelen. Ieder kind kreeg een cadeautje. En geen enkel kind kreeg zijn eigen speelgoed terug, daar zorgde Pieter wel voor. Zo gingen ze door heel het land.

Sinterklaas ging per vliegtuig terug en hij mocht gratis vliegen per KLM omdat hij een Zeer Belangrijk Persoon was. En toen hij terug was in Spanje, zond hij het Sinterklaaspak en het Zwarte-Piet-pak aangetekend terug. Met een briefje erbij: Dit was de heerlijkste 5 december in vijfhonderdvierenzeventig jaar. Dank u!

Dromen onder Moeders vleugels

Moeder, zei het kuikentje, mag ik later zingen?
Net zoals de nachtegaal, van priedewiedewiet?
Nee, o nee, zei Moeder Kip. Je mag wel and're dingen,
je mag wel and're dingen doen, maar zingen mag je niet.

Moeder, zei het kuikentje, mag ik later loeien?
Net zoals de bonte koe, daarginder in de wei?
Nee, zei Moeder Kip, dat zou je veel te veel vermoeien!
Nee, m'n kindje, loeien is er helemaal niet bij.

Moeder, zei het kuikentje, mag ik later blaffen?
Nee, o nee, zei Moeder Kip, maar maak je nou niet druk:
later mag je aan het mensdom eieren verschaffen
en dan heel hard kakelen. En dát is zo'n geluk!

Moeder, zei het kuikentje, ik zou toch liever zingen.
Ach, zei Moeder Kip, je weet niet waar je over praat.
Kind, je bent een Nuttig Dier, die doen nooit zulke dingen.
Kom nu onder Moeders vleugels, want 't is al zo laat.

Het kuiken viel direct in slaap toen het gegeten had
en droomde van de nachtegaal. Dat was tenminste wát.

De trein bleef staan

De trein staat klaar, de trein staat klaar,
de boemeltrein naar Zwolle.
De mensen lopen door mekaar
en hollen, hollen, hollen.
Tot ziens, tot ziens, dan gaan we maar,
we zitten voor het ruitje.
De conducteur roept: Achter klaar!
De chef blaast op zijn fluitje.
Is iedereen erin? We gaan!
Maar nee, de trein blijft stokstijf staan.

Wat is er mis? Wat is er loos?
Het is al tien voor vieren!
De conducteur wordt vreeslijk boos
en slaat met de portieren.
De chef komt met een bleek gezicht
en kijkt zo bang, verbazend!
Weet hij misschien waaraan het ligt?
De machinist is razend.
Hoe komt het nou dat we niet gaan?
En dat de trein maar stil blijft staan?

De machinist roept: Asjeblief!
Hij is toch zo geschrokken.
Jawel, de grote locomotief
ligt helemaal in brokken.
Kijk, hier een stuk en daar een stuk,
zo'n gloednieuwe machine...
Hoe kan dat nou? Een ongeluk?
Het is om bij te grienen.
Hoe zou dat toch gekomen zijn?
Maar kijk, wie zit daar? Dat is Hein.

Hij kijkt heel zoet en braaf en lief
maar toch wel wat beteuterd,
hij heeft de hele locomotief
al uit mekaar gepeuterd.
De machinist zegt kwaad: Welja,
dat heb jij goed bekeken!
Ga liever bij je eigen Pa
de boel aan stukken breken.
Dat kan ik niet, zegt Heintje vlot,
want thuis is alles al kapot.

Dan plakt de chef van het station
een heel groot bord op het perron:
NAAR ZWOLLE GAAT VANDAAG GEEN TREIN.
WIJ WILLEN WEL, MAAR 'T LIGT AAN HEIN.
HOOGACHTEND,
CHEF

Kroezebetje

'Kom eens kijken naar mijn kind!' riep moeder schaap. 'Kijk eens naar mijn Kroezebetje. Hebben jullie ooit zo'n mooi wit lammetje gezien?' De andere schapen kwamen kijken. Ze stonden om Kroezebetje heen en ze zeiden helemaal *niets*.

'Nou?' riep moeder schaap. 'Zeg's wat! Is Kroezebetje niet het mooiste lammetje van de hele wei?'

'Ze is heel aardig,' zei het oudste en deftigste schaap. 'Maar is ze niet een beetje *erg* wit? Heb je haar ergens mee gewassen soms?'

'Helemaal niet,' zei moeder schaap.

'Haar krulletjes zijn zo *eigenaardig* wit,' zei het deftige schaap. 'Is het wel echt wol?'

'Natuurlijk is het echt wol,' riep moeder schaap boos. 'En

mijn Kroezebetje is het prachtigste lammetje van de wereld en daarmee uit.'

De andere schapen haalden hun schouders op en gingen verder grazen, maar moeder schaap keek bezorgd naar haar kind. Ik wil toch weten of alles in orde is, dacht ze. En ze ging met Kroezebetje naar de dokter.

'Hebt u klachten, mevrouw?' vroeg de dokter.

'Dat niet,' zei moeder schaap. 'Mijn Kroezebetje is heel gezond.'

'Waarom komt u dan?' vroeg de dokter.

'Ja ziet u,' zei moeder schaap. 'Ze is wel *erg* wit. Zo *eigenaardig* wit. Ik ben bang dat haar krulletjes niet van echte wol zijn.'

'Dat zullen we onderzoeken,' zei de dokter. Hij knipte een krulletje van Kroezebetje af en deed het in een envelop. 'Komt u over twee dagen terug,' zei hij. 'Dan weten we meer.'

Na twee dagen ging moeder schaap opnieuw naar de dokter. Toen ze terugkwam stonden de andere schapen op een rijtje en riepen: ‘En? Wat zei de dokter? Is het echte wol?’

Moeder schaap keek een beetje verlegen en tegelijk trots. ‘Nee,’ zei ze.

‘Dacht ik het niet?’ zei het deftige schaap. ‘Wat is het dan?’

‘Het staat op dit kaartje,’ zei moeder schaap. En ze liet een kaartje zien waarop stond:

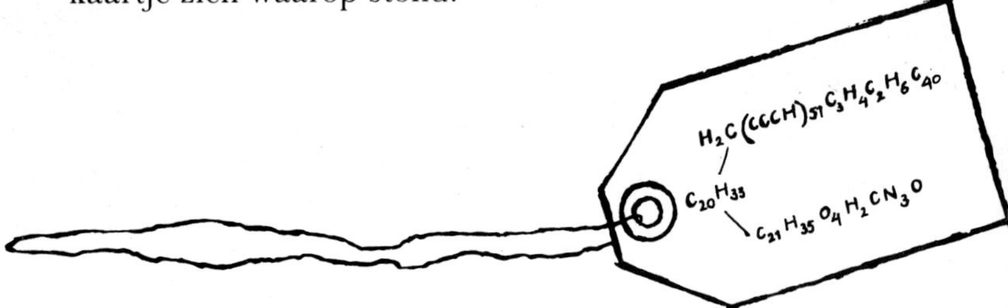

‘Goeie help!’ riep het deftige schaap. ‘Heeft je kind *dat* op z’n lijfje? In plaats van wol? Wat zielig! En hoe komt dat?’

‘Wel,’ zei moeder schaap, ‘de dokter zegt, het is een modern schaapje. En hij zegt, daarom heeft ze Moderne vezels in plaats van wol. En hij zegt, het komt misschien door de wolvaart... ik bedoel de welvaart.’

‘O,’ zei het deftige schaap.

‘In elk geval is dit beter,’ zei moeder schaap, ‘want het krimpt niet en de mot komt er niet in en...’

Maar de andere schapen luisterden al niet meer. Ze keerden moeder schaap en Kroezebetje de rug toe.

‘En toch ben jij het mooiste schaapje van de wereld,’ zei Kroezebetjes moeder.

‘Ik zal het kaartje om je hals hangen, dan kan iedereen zien wat een bijzonder lammetje jij bent.’

Kroezebetje huppelde de wei in, maar geen enkel lammetje wou met haar spelen, omdat ze zo bijzonder was en omdat ze een kaartje om haar nek had. En daarom speelde ze helemaal op haar eentje.

Op een ochtend stopte er een grote auto bij de brug. Er kwamen drie keurige heren uit, die de wei instapten. De dikste van de drie vroeg: 'Woont hier wellicht dat hele bijzondere schaapje?'

'Jazeker meneer,' zei moeder schaap. 'Dat is mijn dochtertje Kroezebet.'

'Zou ik haar even mogen spreken, mevrouw?' vroeg de dikke heer. 'Hier is het kaartje met mijn naam.'

Moeder schaap pakte het kaartje aan. Er stond op:

DE WELEDELZEERGELEERDE HEER DOCTOR INGENIEUR J.C.H. VAN DAM JR.

'O,' zei moeder schaap. 'Bent u dit allemaal?'

'Dat ben ik,' zei de heer.

'Ik zal haar even roepen,' zei moeder schaap.

Maar Kroezebetje stond achter een bosje en had het allemaal gehoord. Ze werd bang en liep stilletjes weg. Ze holde en holde over de wei en niemand zag haar gaan.

'Kroezebetje!' riep moeder schaap. 'Waar zit je?'

'Ze zal zich ergens verstopt hebben,' zei ze tegen de drie heren. 'Wilt u even helpen zoeken?'

maar Kroezebetje was verdwenen. Ze was nergens, nergens meer te vinden.

'Jammer,' zeiden de drie heren. 'Maar niets aan te doen.'

Ze stapten in hun auto en reden weg, terwijl moeder schaap treurig achterbleef en blaatte: 'Kom dan, waar ben je dan...'

Intussen was Kroezebetje al heel ver weg. Ze liep van de ene wei naar de andere en pas toen de wei ophield en de stad begon, bleef ze staan bij een sloot. Er werd daar gebouwd. Er stonden heimachines en betonmolens en zandauto's. Het was een ontzettende herrie en toen er plotseling een grote kraanwagen aankwam, schrok Kroezebetje zo, dat ze een sprong

achteruit deed en ploemp in de sloot terecht kwam.

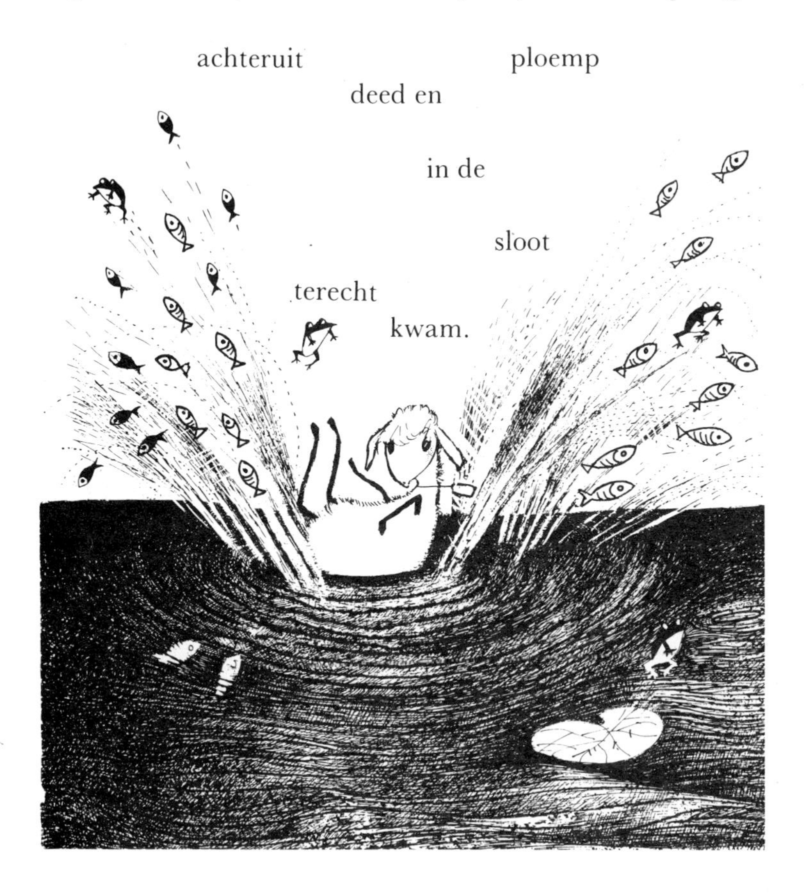

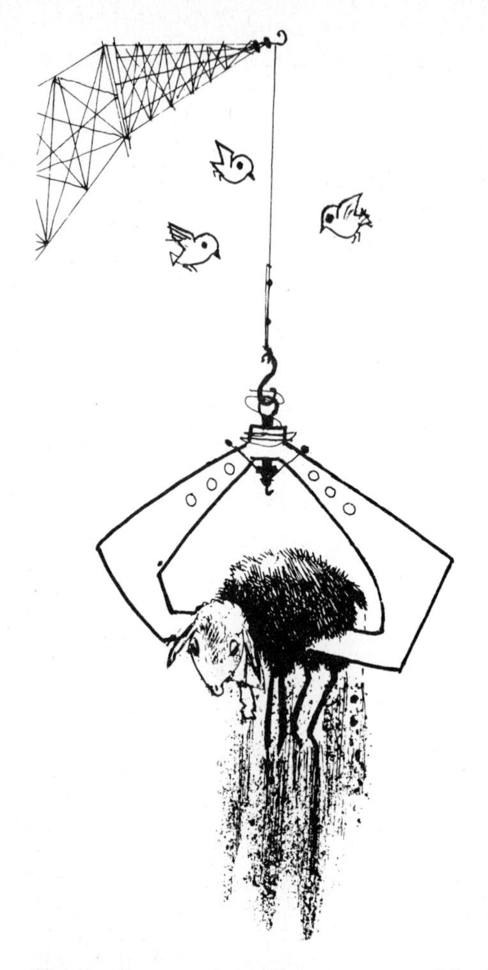

Het was een vieze sloot, een modderige, blubberige zwarte sloot. Kroezebetje zonk er helemaal in en ze was bijna verdronken, maar gelukkig had de man van de kraanwagen haar gezien. En met zijn grote grijper viste hij haar uit het water. Ze zweefde druipend door de lucht en de kraan zette haar op de wal.

'Dat was op het nippertje,' zei de kraandrijver. 'Wat zie je eruit! Weet je wat, ik breng je bij Opa Kleum. Die heeft de grootste wasmachine van de buurt.'

Opa Kleum keek heel verbaasd toen de kraandrijver bij hem kwam met een druipend vies, roetzwart schaapje onder de arm. ‘Wat moet ik daarmee?’ vroeg hij. ‘Flink wassen,’ zei de kraandrijver. ‘Met veel wasmiddel.’

‘Goed,’ zei Opa Kleum. Hij stopte Kroezebetje in de wasmachine en toen ze eruit kwam was ze zo wit, zo wit, dat Opa Kleum zijn ogen uitwreef.

‘Is het kaartje om mijn hals ook schoon geworden?’ vroeg Kroezebetje.

‘Het is wat frommelig geworden,’ zei Opa Kleum, ‘maar we strijken het glad. Ziezo, en nu gaan we radijsjes eten op de boterham.’

Kroezebetje at aan tafel. Ze hield van radijsjes en Opa Kleum was blij dat hij iemand had om mee te praten. En daarom bleef ze bij hem in huis en ze hadden het erg gezellig samen.

'Waarom bibbert u toch altijd zo?' vroeg ze op een keer.

'Omdat ik het altijd koud heb,' zei Opa Kleum. 'Altijd koud. Daar helpt niets tegen.'

'U mag mijn krulletjes afknippen,' zei Kroezebetje. 'Daar kunt u een dekentje van laten maken en dat dekentje moet u omslaan.'

'Nee,' zei Opa Kleum. 'Ik kan niet tegen wol. Het kriebelt door alles heen.'

'Maar mijn krulletjes zijn geen wol,' zei Kroezebetje.

'O nee? Wat dan?'

'Hier staat het op,' zei Kroezebetje en ze wees op het kaartje. Het was nog wat groezelig en kreukelig, maar er stond toch heel duidelijk op:

'Nee,' zei Opa. 'Wat een bijzonder schaapje ben jij toch. Laten we 't dan maar eens proberen.' Hij nam de tondeuse en knipte Kroezebetjes krullen af, allemaal. Van die krullen liet hij een prachtig spierwit dekentje maken, dat hij altijd om zich heen had. Het stond hem erg lief.

‘Hebt u het niet koud meer?’ vroeg Kroezebetje.

‘Ik heb het verrukkelijk warm,’ zei Opa Kleum. ‘En het kriebelt niet. Ik dank je wel. Heb je ’t zelf niet koud, nu je zo bloot bent?’

‘Hier in huis is het lekker warm,’ zei Kroezebetje. ‘En ik blijf maar binnen.’

Op een avond heel laat werd er gebeld. Opa Kleum deed open. Er stonden drie keurige heren op de stoep en de dikste van de drie kwam naar voren en zei: ‘Woont hier wellicht dat hele bijzondere schaapje?’

‘Jazeker,’ zei Opa Kleum. ‘Die woont hier.’

‘Mag ik haar een ogenblikje spreken?’ vroeg de dikke heer. ‘Hier is het kaartje met mijn naam.’

DE WELEDELZEERGELEERDE HEER DOCTOR INGENIEUR J.C.H. VAN DAM JR.

‘Een ogenblikje meneer,’ zei Opa Kleum. ‘Ze ligt al in bed, maar ik zal haar roepen.’

Kroezebetje lag nog wakker en had het allemaal gehoord. Ze werd heel bang, kwam stilletjes haar bedje uit en glipte door de keukendeur naar buiten.

‘Wat gek,’ zei Opa Kleum. ‘Haar bed is leeg. Wilt u mij misschien even helpen zoeken, heren?’ De drie heren hielpen zoeken, het hele huis door, maar Kroezebetje was verdwenen.

‘Jammer,’ zeiden de drie heren. ‘Maar niets aan te doen.’ En ze reden weg in hun auto, terwijl Opa Kleum achterbleef en riep: ‘Waar ben je? Waar zit je?’

Intussen dwaalde Kroezebetje in de koude donkere avond op straat. Het woei en het sneeuwde en ze was zo bloot. Bibberend zwierf ze van de ene straat naar de andere, totdat ze zo moe was geworden dat ze maar ging zitten op de stoep van het postkantoor. Omdat het zo koud was, liep er geen mens op straat.

dwarrelde

De over

haar heen

sneeuw

en

om haar

heen

en na een uur was er geen schaapje meer te zien, alleen nog een bobbel van sneeuw.

De volgende morgen kwam er een vrouw langs die haar hondje uitliet. Het hondje begon in het hoopje sneeuw te krabbelen en te snuffelen en te kwispelen. De mevrouw keek eens even heel goed en zag twee oortjes uit de sneeuw steken. 'Lieve deugd, wat is dat?' Ze veegde de sneeuw weg. 'Een schaapje!' riep ze en ze holde het postkantoor in om te telefoneren. Een paar minuten later kwam er een prachtige witte ziekenauto en Kroezebetje werd naar het ziekenhuis gebracht.

'Bevroren is ze niet,' zei de dokter. 'Ze is alleen *erg* verkleumd en ze moet een paar weekjes in bed blijven.'

En daar lag Kroezebetje dan op de ziekenzaal. Ze kreeg warme melk en veel lekker eten en de zusters waren heel lief voor haar. 'Wat ben je toch een lief schaapje,' zeiden ze. 'En kijk, je krulletjes groeien weer aan. Het zijn de witste krulletjes die we ooit hebben gezien.'

Op een ochtend stonden er drie keurige heren op de stoep van het ziekenhuis en vroegen aan de portier: 'Ligt hier wellicht dat hele bijzondere schaapje?'

'Jazeker,' zei de portier. 'Trap op, links af en de hele gang door.'

De heren gingen de trap op en vroegen aan de zuster op de gang: 'Weet u ook waar dat hele bijzondere schaapje ligt?'

'Bent u familie?' vroeg de zuster.

'Dat niet,' zei de dikste heer. 'Maar ik ben de WeledelZeergeleerde Heer Doctor Ingenieur J.C.H. van Dam Jr.'

'O,' zei de zuster, 'dat verandert alles. Ik zal u wijzen waar ze ligt.'

Maar Kroezebetje had liggen luisteren en ze werd heel bang. Haastig sprong ze haar bedje uit en holde naar het raam. 'Zuster,' riepen de andere patiënten, 'het schaapje gaat er vandoor!'

'Pas op, Kroezebetje, niet het raam uit, wat doe je nou toch!' riep de zuster die aan kwam hollen met de drie heren, maar het was al te laat. Kroezebetje liet zich langs de regenpijp naar beneden glijden en rende de straat op.

'Gauw,' zei de zuster, 'laten we haar gaan zoeken, ze kan onmogelijk ver weg zijn.'

Beneden op straat was een hele oploop. 'Een schaapje,' riepen de mensen. 'Er is een schaapje los.'

'Waar is het?' hijgde de zuster die met de drie heren kwam aanlopen.

'Daar, tussen die geparkeerde auto's,' riep een man.

'Nee daar,' riep een jongen. 'Ze is die bloemenwinkel in gegaan.'

Iedereen stoof de bloemenwinkel in om Kroezebetje te zoeken, maar ze was er niet. Ze zat in de bestel-auto die voor de deur stond. Het was de bestel-auto van de bloemenzaak en daar zat ze nu, hijgend en bevend, verstopt in een groot bloemstuk. En niemand kwam op het idee om daar te zoeken.

'Laten we in alle winkels gaan kijken,' zei de zuster.

Maar de drie heren keken op hun horloge en zeiden: 'Wij hebben helaas geen tijd meer. Wij moeten naar het feest. Wij moeten naar het hotel De Gouden Leeuw.'

In een zaal van het hotel De Gouden Leeuw waren een heleboel mensen en er stond een prachtig versierde groenfluwelen stoel. En op die stoel hing een bordje, daar stond met gouden letters op: J.C.H. van Dam Jr.

De drie keurige heren kwamen binnen en de dikste van de drie ging op de groenfluwelen stoel zitten.

Alle mensen in de zaal begonnen te juichen en te klappen, want het was jubileum-feest.

Op deze dag was de dikke heer vijfentwintig jaar Weledel-Zeergeleerd. En dat moest gevierd worden. Er werden toespraken gehouden en het was allemaal erg mooi en feestelijk maar toch waren de drie heren een tikkeltje treurig.

'We hadden het bijzondere schaapje *bijna* gevonden,' zeiden ze. 'Wat vreselijk jammer.' Net op dat moment werd er een ontzaglijk bloemstuk binnengedragen met roze rozen en blauwe strikken en linten.

'Wel, wel,' zei de dikke heer. 'Is dat ook al voor mij? Zou er ook een kaartje bij zijn? Van wie is het?' Hij graaide tussen de bloemen.

'Hier heb ik een kaartje,' riep hij. 'Even kijken wat erop staat.' Hij zette zijn bril op en tuurde. En op het kaartje stond:

'Wat is dat?' riep de dikke heer. 'Er zit iets aan vast. Het is wit en het leeft en het is warm...' En daar haalde hij Kroezebetje te voorschijn. Daar stond ze, trillend op haar pootjes.

'Wees asjeblieft niet bang voor me, Kroezebetje,' zei de dikke heer. 'Ik zal je geen kwaad doen. En ik zal je niet meenemen.'

'O nee?' vroeg Kroezebetje angstig.

'Nee,' zei hij. 'Het enige wat ik wil, is *één* klein krulletje van

je afknippen. Dat is voor Wetenschappelijk Onderzoek. Dat is alles.'

'Heus?' vroeg Kroezebetje.

'Heus. Waar wil je dat ik het krulletje afknip?'

'Bij mijn staartje,' zei Kroezebetje. Er werd een zilveren schaar gebracht en daarmee werd één van Kroezebetjes krullen afgeknipt.

Toen kwamen er kelners met grote bladen vol lekkere hapjes en het werd een prachtig feest.

Kroezebetje huppelde door de zaal en alle mensen riepen: 'Leve het bijzondere schaapje!'

'En waar wou je nu het liefst heen?' vroegen de drie heren. 'Wou je graag naar Opa Kleum terug? Of naar de wei?'

Kroezebetje stond even ernstig na te denken. 'Het liefst wil ik naar mijn moeder,' zei ze.

'Dan brengen we je met de auto,' zeiden de heren.

En diezelfde dag werd Kroezebetje naar de wei gebracht.

De drie heren stapten het eerst uit en gingen naar Kroezebetjes moeder die bij het bruggetje stond te treuren.

'Mijn kind is nog steeds niet terug,' zei ze. 'Ze zal wel nooit meer terugkomen.'

'Ik geloof dat wij weten waar ze is,' zei de dikke heer.

'Wat?' riep moeder schaap. 'Waar dan?'

'Hier,' zeiden de heren. Ze deden het portier open en daar stapte Kroezebetje naar buiten.

'Mijn lieve Kroezebetje,' riep moeder schaap. 'Waar ben je toch geweest?' De andere schapen kwamen een beetje verlegen aanlopen en zeiden: 'We hebben zo'n spijt dat we onaardig voor je geweest zijn, Kroezebetje. Onze lammetjes willen graag met je spelen, als jij ook wilt.'

En zo kreeg Kroezebetje een heerlijk leven in de wei, maar elke vakantie ging ze logeren bij Opa Kleum. Dan zaten ze samen op een bankje in het park. Hij met zijn dekentje om en Kroezebetje met het kaartje om haar hals.

Pas op voor de hitte

Denk aan juffrouw Scholten,
die is vandaag gesmolten,
helemaal gesmolten, op de Dam.
Dat kwam door de hitte,
daar is ze in gaan zitten
– als je soms wil weten hoe het kwam.
Ze hebben het voorspeld: Pas op, juffrouw, je smelt!
Maar ze was ontzettend eigenwijs...
Als een pakje boter,
maar dan alleen wat groter,
is ze uitgelopen, voor 't paleis.

Enkel nog haar tasje
lag daar in een plasje...
Alle kranten hebben het vermeld
op de eerste pagina.
Kijk het zelf maar even na.
Ja, daar staat het, kijk maar: *dame smelt.*

Die arme juffrouw Scholten...
helemaal gesmolten...

Als dat jou en mij eens overkwam...
Lâ we met die hitte
overal gaan zitten...
maar vooral niet midden op de Dam.

Het ventje van zeep

Bij meneer de drogist
daar verkopen ze drop
en zoute griotjes
met suiker d'r op,
en ook aspirientjes,
en ook rubber-kruikjes
voor heel koude voetjes
en heel koude buikjes,
en laatst lag er ook,
naast een hazelnootreep,
een ventje van zeep,
een lief ventje van zeep.

En eens op een morgen,
de winkel stond open,
toen is me dat ventje
naar buiten gelopen.
De spreeuwen en mussen
daar hoog in de bomen
die riepen direct:
O, kijk daar toch eens komen,
een heel lief klein ventje
dat zo lekker ruikt...
We denken dat hij
odeklonje gebruikt!
Hallo, riep een eendje,

dat zwom in de gracht,
hallo, lief klein ventje
'k heb op je gewacht!

Kom hier in het water,
kom hier, zei het eendje,
het is niet zo koud,
voel maar eens met je teentje.
Het zeepventje riep:
Ik kom dadelijk bij je.
Hij liet zich heel zachtjes
het water in glijen.
Maar ventjes van zeep
horen niet in het water,
het was een vergissing,
dat bleek even later.
Het ventje van zeep
loste helemaal op,
er bleef niets van over
en 't water werd sop.

Dit lange verhaal
is te treurig voor ons,
we gaan dropjes kopen
en hoestbonbons.

De haan wou hogerop

'Ik kan het hoogste vliegen van alle hanen ter wereld,' zei Kokkelu. En alle kippen uit het hok keken eerbiedig naar hun heer en meester en zeiden: 'Jawel, dat is zo, tok tok tok!'

'Kijk maar eens,' zei Kokkelu, de haan, 'hoe verschrikkelijk hoog ik vlieg.' Hij ging op zijn tenen staan, kraaide heel hard

en vloog toen een paar meter hoog, tot boven op het kippenhok. 'Heb je 't gezien?' schreeuwde hij, 'hebben jullie 't allemaal gezien?'

'Jawel,' zeiden de kippen eerbiedig. 'Het is heel erg hoog.'

Kokkelu, de haan, zette zijn borst vooruit en wilde nog eens triomfantelijk kraaien, maar het kukeleku bleef hem in de keel steken. Want wat zag hij daar, toen hij zo met zijn kop achterover boven op het kippenhok stond? Hij zag in de verte een haan, ja zeker een haan, die nog veel hoger was gevlogen dan hij, die haan zat helemaal op de kerktoren, bovenop.

Nog nooit had Kokkelu dat gezien, vandaag voor 't eerst ontdekte hij dat. Hij was er helemaal beduusd van en hij wist niet, dat die haan op de kerktoren een dooie ijzeren haan was en niet eens een echte. 'Ik zal morgen net zo hoog vliegen als hij,' zei hij tegen de kippen, 'wacht maar tot ik uitgerust ben, dan zal je zien, dan zal ik hem de waarheid eens gaan vertellen, die opschepper daarboven.'

En de volgende morgen stond Kokkelu nog vroeger op dan anders en kraaide nog harder dan andere dagen. De kippen keken vol bewondering naar hem op. 'Hij gaat vliegen,' zeiden ze tegen elkaar, 'hij gaat naar de top van de kerktoren vliegen, naar die andere haan daarboven.' Kokkelu zette zijn borst vooruit, nam een klein aanloopje en vloog. Hij spande zich heel erg in, hij vloog inderdaad veel hoger dan hij eigenlijk kon en hij kwam terecht op het dak van het lage schuurtje vlak bij de boerderij.

Daar zat hij te hijgen, maar hij was zo bek-af, dat hij geen kukeleku meer kon uitbrengen. Nu nog eenmaal flink inspannen, dacht hij, dan vlieg ik helemaal tot aan de top van de kerktoren.

Maar ach, toen Kokkelu weer ging vliegen, toen kon hij niet meer. Hij tuimelde naar beneden, hij kwam in de regenton terecht en knapte twee van zijn mooie staartveren. Gelukkig kwam de boer juist voorbij, die hem uit de regenton haalde, anders zou Kokkelu nog verdronken zijn ook. Met geknakte staartveren kwam hij bij de kippen aan, die hem verwonderd aankeken.

'Nou,' zei Kokkelu, 'jullie hebt het zeker niet gezien, he? Ik ben er geweest hoor! Daar helemaal boven op de kerktoren ben ik geweest en ik heb gezegd: Jij lelijke opschepper!'

'En toen,' vroegen de kippen ademloos.

'Toen heb ik hem een klap gegeven, en hij gaf een klap terug en toen zijn we gaan vechten,' zei Kokkelu. 'Daarom ben ik twee van mijn staartveren kwijt, maar dat geeft niet, dat groeit wel weer aan. En ik heb het gewonnen, die haan daarboven is weg, hij is er niet meer.'

'En hoe komt u zo nat?' vroeg een van de kippen.

'Wel,' zei Kokkelu, 'het regent daarboven altijd, begrijp je dat niet? Het giet daar!'

De kippen keken allemaal naar boven en het eerste, wat ze zagen, was de haan op de kerktoren. Maar ze durfden niets te zeggen en keken maar gauw weer voor zich op de grond. En Kokkelu heeft altijd volgehouden dat hij de haan van de toren heeft gejaagd.

Het zoetste kind

Het zoetste kind dat ik ooit zag
was Pieter Hendrik Hagelslag.
Hij veegde altijd trouw zijn voeten, hij zat nooit in de goot te
 wroeten,
ging 's avonds – ongevraagd – naar bed
en at zijn vlees met randjes vet.
Zelfs spruitjes at hij zonder brommen,
hij vroeg op school om nóg meer sommen
en hij zei nimmer vieze woorden
– tenminste niet dat je het hoorde.
Nooit janken, brullen, jengen, gillen,
nooit drenzen of iets anders willen.
Hij kroop nooit in de kolenkelder,
zijn bloesje bleef vier weken helder,
zijn broekje bleef vijf jaren heel.
Hij jokte nooit. Integendeel.

En toen hij groot was, trouwde hij
met ene juffrouw Balkenbrei.
Zes kinders hebben ze gekregen,
die nimmer hunne voeten vegen,
die altijd in de goten slieren,
en altijd razen, schreeuwen, tieren,
die bloesjes hebben vol met vlekken
en altijd lange neuzen trekken,
die brullen, janken, drenzen, jengen,
en iedereen tot wanhoop brengen.
Tot Pieter Hendrik Hagelslag
zijn handen wringt van dag tot dag.
Waarmee ik weer heb aangetoond:
de deugd wordt niet altijd beloond.

Zwartbessie

Er was er 's een zwarte kip. Zwartbessie was haar naam.
Die zat aldoor te jammeren en te meieren voor het raam.
Ze wou zo graag gespikkeld zijn. Ze dacht het o, zo dikkels:
Waarom ben ik zo effen zwart? Waarom heb ik geen spikkels?
Och, dacht Zwartbessie verder, och, ik heb ze wel misschien,
maar ja, 't zijn zwarte spikkeltjes, je kunt ze dus niet zien.
Het was een goed idee. En voortaan zei Zwartbessie dus:
Ik ben een zwarte kip, hoera, met zwarte spikkeltjes.
Ze zei het overal, ook aan de veertien andere kippen:
Ik ben een mooie zwarte kip, met mooie zwarte stippen.
Maar al de kippen lachten. En de haan die zei geprikkeld:
Je bent gewoon een zwarte kip, en niet in 't minst gespikkeld!
Wat zielig voor Zwartbessie. O, wat zielig voor Zwartbessie!
Zij ging heel treurig zitten, en toen kreeg zij een *depressie.*

Ze at niet meer. Ze dronk niet meer. Ze legde nooit meer eieren.
Ze wou alleen maar suffen en ze wou alleen maar meieren.
Ze had al in geen een en twintig dagen meer gekakeld.
En zij deed nergens meer aan mee. En zij was uitgeschakeld.
En als ze riepen: Kom toch eten! opende zij haar snavel
en stamelde: Ik wil niet meer. Ik kom niet meer aan tafel...

En op een mooie morgen lag zij naast het kippenhok.
Ze had haar ogen dicht. Ze zei geen tak meer en geen tok.
Toen huilden al de kippetjes en schreiend zei de haan:
Nu is Zwartbessie dood. Nu is Zwartbessie heengegaan.
Zij gingen haar begraven, met een hele lange stoet.
De haan had hele mooie zwarte veren op zijn hoed.
Ze gingen haar begraven. En de haan die hield een rede:
Zwartbessie, onze lieve kip, is heden overleden.

Wij staan dus aan het graf van onze dierbare Zwartbessie,
en naar men mij vertelt, is zij gestorven aan *depressie.*
Wat of dat is, dat weet ik niet. Het enige dat ik weet,
is dat je dan niet leggen wil, en dat je dan niet eet.
We hopen dat we 't zelf niet krijgen, dat is het voornaamste.
Zij was de allerliefste kip, en zeker de bekwaamste.
Voorts wil ik dit nog zeggen, ook al klinkt het ingewikkeld:
Zij was een zwarte kip, en zij was prachtig zwart gespikkeld.

En toen hij dat gezegd had, zweeg hij even en hij schrok:
Zwartbessie deed haar ogen open en zei vrolijk: Tok!
Ze sprong springlevend overeind en riep: Zo is het dus:
Ik ben een zwarte kip en ik heb zwarte spikkeltjes!
Je hebt het toegegeven, dus nu is het wel in orde.
Ik denk dat ik dus echt niet meer begraven hoef te worden.

De kippen hebben 't allemaal een beetje sneu gevonden.
Nu hadden ze voor niets gehuild, en dat is altijd zonde.
Maar goed, ze gingen weer naar huis. En alles kwam terecht.
Zwartbessie heeft dezelfde dag twee eieren gelegd.
Ze heeft een hele grote kom met graantjes opgesmikkeld.
Ze was een zwarte kip en ze was prachtig zwart gespikkeld.
Ze meierde niet meer, ze had ook nooit meer een depressie.
Dat was het, en nu is het uit, 't verhaaltje van Zwartbessie.

De rovers en de maan

Er waren eens drie rovers en ze woonden in een hol.
Het was er erg ongezellig, want het stond er vreselijk vol.
Er stonden koffers vol met goud en kisten diamanten
en zakken vol met zilverwerk, in oude ledikanten.
Ze zeiden treurig alle drie: Wat akelig is dat.
We willen weer gaan roven, maar we weten niet meer wat.
Ze piekerden en piekerden en krabden op hun hoofd.
Ze hadden alles, alles, alles, alles al geroofd.

't Was donker in het hol, maar door een kiertje scheen de
maan,
een mooie ronde volle maan. Ze keken elkander aan...
De maan! Daar was een prachtidee. Díé zouden ze gaan ro-
ven!
Naarboven jongens, zeiden ze. Onmiddellijk naarboven!
Ze namen de toren van Lutjebroek en die van Overschie
en die van Geldermalsen en toen hadden ze er drie.
Die torens zetten ze op elkaar. Ze klauterden naarboven.
Ze waren vastbesloten om die nacht de maan te roven.

Twee rovers deden hun ogen dicht, omdat ze duizelig werden.
Pak jij 'm maar. Doe jij het maar! zo zeiden ze tegen de derde.
De derde rover nam de maan en klauterde naar benee.
Kijk uit! Kijk uit! En hou 'm vast, zo riepen de andere twee.
De maan was zwaar en spiegelglad, en toen opeens, wat stom,
hij liet 'm uit z'n handen glijden – rommelebommelebom! –
De maan viel naar beneden en kwam met een plons terecht
zo ergens in de buurt van Loenen, midden in de Vecht.
Het gaf een sisser: Sssst en SSSST! Toen was het stil als 't graf.
Zodat we kunnen zeggen: Dat liep met een sisser af.

Gelukkig is er ergens (ja, ik weet niet of je 't weet)
een groepje oude heren, een commissie, en dat heet:
Commissie ter Bevordering der Belangen van de Maan.
Die keken net naar boven en ze zagen 'm niet staan!

De maan is weg! zo riepen ze. Wat moeten we nou doen?
We kunnen toch niet leven zonder maan met goed fatsoen?
Maar weet je wat? Het is nog niet zo'n vreselijke strop:
We hebben nog een oude maan. Die hangen we wel op.

De rovers kropen in hun hol, totaal versuft van schrik.
Daar zitten ze te bibberen, tot aan dit ogenblik.
En jullie weet nu allemaal: de maan die je ziet staan
is eigenlijk de echte niet. 't Is een reserve-maan.

De lapjeskat

Voeten vegen! Voeten vegen! zei de lapjeskat.
Wat 'n regen, wat 'n regen in de stad, stad, stad.
  Dag meneertje
  Teddybeertje,
wat 'n weertje, wat 'n weertje,
'k heb in lange geen visite meer gehad, had, had.
Voeten vegen, zei de lapjeskat.

Mag ik binnen? Mag ik binnen? zei de Teddybeer.
'k Weet niet wat ik moet beginnen, want ik kán niet meer.
  Kunt u mij een lapje lenen,
  'k heb zo'n last van wintertenen
en mijn voeten doen de hele dag zo'n zeer, zeer, zeer.
Mag ik binnen? zei de Teddybeer.

In de keuken, in de keuken, zei de lapjeskat.
Gaat het jeuken? Gaat het jeuken? O, wat naar is dat.
  Kijk, hier heb ik een verbandje
  uit het ouwe lappenmandje
en nou maak ik dat verbandje lekker nat, nat, nat.
  Dat is dat, zei de kat.
  En ziezo, zei de kat.
  Dat is dat, zei de lapjeskat.

De ridder van Vogelenzang

Er leefde een ridder in Vogelenzang,
al heel lang geleden, verschrikkelijk lang,
die draken versloeg voor een roos en een zoen,
zoals men dat nu nog maar zelden ziet doen.
Die dappere ridder van Vogelenzang!
Maar 's avonds in 't donker dan was hij zo bang!

Dan lag hij te beven tot kwart over zeven,
want altijd in 't donker dan hoorde hij leven!
En iedere nacht, om zijn angst kwijt te raken,
probeerde hij vrolijke rijmpjes te maken,

en telkens begon hij van voren af aan:
Wat heb ik vandaag voor heldhaftigs gedaan?
Vijf draken verslagen,
één jonkvrouw gered!
Waarom lig ik dan zo
te rillen in bed?

En prompt overdag, als de hemel ging klaren,
versloeg hij weer draken, of 't kevertjes waren,
die dappere ridder van Vogelenzang.
Maar 's avonds in 't donker dan werd hij weer bang.
Dan ging hij weer rijmen van voren af aan:
Wat heb ik vandaag voor pleizierigs gedaan?
Mijn paard opgetuigd
en mijn helm ingevet,
mijn vrouw toegeknikt
toen ze thee heeft gezet.
Waarom lig ik dan zo
te trillen in bed?

Om één uur des nachts werd het meestal te bar!
Dan raakte die ridder totaal in de war!
Dan jankte hij zachtjes, bij ieder geluid
en lag maar te prevelen, stil voor zich uit:
Eén jonkvrouw verslagen,
vijf draken gered...
maar zeg ik het goed?
Nee, het lijkent wel pet!
Mijn vrouw afgetuigd
en mijn paard ingevet...
een draak toegeknikt toen hij thee had gezet...
Ik weet het niet meer en ik hoor weer geluid...
'k Ben bang in het donker!
Wie haalt me d'r uit?
Moederrr!

Liever kat dan dame

Er was eens een dame in Bronk aan de Rijn,
die zei: Ik had liever een kat willen zijn.
Ik hoef me gelukkig voor niemand te schamen,
maar toch ben ik liever een kat dan een dame.

Waarna zij zich fluks naar de leeszaal repte
en een toverboek leende met toverrecepten.
Op bladzijde negentien stond, onder andere:
Hoe gij uzelf in een kat kunt veranderen.

Dat was het recept en zij kon dus beginnen.
Zij was al een eindje gevorderd in spinnen.
Zij gaf al een kopje, maar toen, na twee weken
was de uitleentermijn van de leeszaal verstreken
en moest dus dat boek naar de leeszaal terug.
Wel, dat was natuurlijk een beetje te vlug.
Toen moest deze dame haar pogingen staken
midden in het hoofdstukje *Kroelen op daken.*

Ze zei: Het is vervelend zo alles tezamen,
maar goed, als het zo staat, dan blijf ik maar dame.

Nu zit zij dus weer in het daaglijks bestuur
van de huisvrouwenbond, maar des nachts om één uur
dan gaat zij het vlierinkje op zonder bril
en als zij een muis ziet, dan zit ze heel stil.

En laatst kwam ik eventjes daar op visite.
Zij dronk juist haar schoteltje melk, in de suite.
Toen dacht ik oei, oei en ik moest het beamen:
zij is nog geen kat, maar toch ook niet meer dame.

Isabella Caramella

Isabella
Caramella
doet de baby in het bad.
Isabella
Caramella
heeft een witte wollen kat
en twee witte wollen muizen en een roodgeruit konijn
en ze heeft een krokodil; die heet Petijn.
Isabella
Caramella
speelt zo zoetjes in het zand,
Isabella
Caramella
met een ruiker in haar hand.
Maar zodra er hele nare mensen op visite zijn,
roept ze zachtjes om haar krokodil Petijn.
en de kroko-
dil Petijn
eet alle nare mensen op,
van hun tenen tot hun haren, holliehap en holliehop!
Zoals juffrouw Schoppetien die niet van kleine kinders houdt

en de dame met het bontje die zo zeurt en die zo snauwt.
En de krokodil verslindt meneer Van Boven op het gras
tot het laatste nare stukje van zijn nare overjas.
Isabella
Caramella,
waar is juffrouw Schoppetien?
Heb jij soms
meneer Van Boven
met zijn overjas gezien?

Weet je of die dikke dame weggegaan is op haar fiets?
Isabella
Caramella
weet van niets.
En ze zit zo
zoet te spelen
met haar roodgeruit konijn
en daar naast haar
op het stoepje
zit de krokodil Petijn.
Isabella
Caramella
zegt ziezo en dat was dat.
Isabella
Caramella
doet de baby in het bad.

Spiegeltje rondreis

Dit is Omaatje.

En dit is Opaatje.

Ze woonden in een oud, oud huis met heel veel stoelen. Soms zaten ze op de blauwe stoelen en soms op de roze stoelen en soms op de groene stoelen.

En Omaatje zei: 'Wat hebben we toch een groot huis.'

'Ja, en wat hebben we toch een hoop stoelen,' zei Opaatje. 'En niemand zit erop. Alleen wij.'

'Dat komt omdat onze kleinkinderen allemaal zo ver weg wonen,' zei Omaatje.

En dat was waar: Hun kleinkinderen woonden allemaal heel, heel ver weg. In hele verre vreemde landen. In Japan, in India, in het land van de Arabieren en aan de Noordpool.

'Laten we maar weer eens in onze spiegel kijken,' zei Omaatje.

'He ja,' zei Opaatje. 'Laten we dat doen. Dat is gezellig.' En dan gingen ze voor de spiegel zitten op de roze stoelen. Nu moet je weten dat dit geen gewone spiegel was. O nee, o nee, het was een Spiegeltje Rondreis. Omaatje en Opaatje hadden dit Spiegeltje Rondreis veertien jaar geleden gekregen van een achternicht die kon toveren. Spiegeltje Rondreis had een mooie ronde gouden lijst maar *dat* was niet het bijzondere. Nee, het bijzondere was, dat Omaatje en Opaatje in die spiegel hun kleinkinderen konden zien. In Japan, in India, in het land van de Arabieren en aan de Noordpool. Ze zagen precies wat hun kleinkinderen daar deden, hoe ze speelden, hoe ze lachten, hoe ze liepen, precies alles. In kleuren. Het was echt leuk, zo'n Spiegeltje Rondreis. De Japanse kleinkinderen heetten Saki en Soki. Ze hadden Japanse kimonootjes aan en speelden in een piepklein Japans tuintje met een Japans hekje bij hun Japanse huis aan de Japanse rivier.

De kleinkinderen in India heetten Rasjna en Pasjna. Ze hadden het altijd lekker warm en ze droegen niet zo erg veel kleertjes. Ze hadden een echte grote olifant die bomen kon weglopen als je ze eerst voor hem omhakte. Ze zaten elke dag boven op die olifant en ze hadden het verrukkelijk.

De kleinkinderen in het land van de Arabieren, dat waren Kessib en Kassib. Ze woonden in een Arabisch huis aan een Arabische straat, waar kamelen door gingen zoals bij ons de auto's. Soms zaten ze samen op een kameel tussen de twee bulten en schommelden lekker heen en weer.

En dan waren er nog de kleinkinderen aan de Noordpool. Dat waren Nanuk en Panuk en ze hadden het natuurlijk veel kouder dan alle andere kleinkinderen bij elkaar. Brrr... daar in dat barre Noorden, waar de sneeuw hoog wordt opgejaagd door de ijskoude poolwind, waar het ijs nooit smelt en waar je in sneeuwhutten moet wonen... Maar Nanuk en Panuk hadden warme eskimo-kleertjes aan met bont van binnen. En ze hadden een eskimo-sleetje met zes dikke pool-honden ervoor en een heel klein pool-hondje erachter. (Onthoud dat pool-hondje even, wil je?) En ze reden in vliegende vaart over de gladde sneeuw en hadden ontzettend veel plezier.

Zo leefden al die kleinkinderen in die verre vreemde landen en Omaatje en Opaatje keken naar hen in Spiegeltje Rondreis. Ze zagen daarin niet *alle* kleinkinderen tegelijk hoor. Nee, ze zagen maandags de Japanse kleinkinderen, dinsdags de kinderen in India, woensdags helemaal niets (want woensdag was strijkdag en dan had Omaatje het te druk), donderdags de Arabische kinderen en vrijdags de pool-kinderen.

Wel, op zekere maandag keken Omaatje en Opaatje in Spiegeltje Rondreis en zagen dus hun Japanse kleinkinderen Saki en Soki. Saki was het jongetje, Soki was het meisje. Ze hadden een bootje gemaakt en ze dreven in dat bootje zachtjes langs de oever van de rivier.

'Kijk nou toch die kinderen,' zei Omaatje. 'Het lijkt warempel wel een papieren bootje.' 'Dat is het ook,' zei Opaatje. 'Jazeker, een papieren bootje. Straks wordt het papier nat. En dan zinken ze.'

'En dan verdrinken ze,' zei Omaatje heel zenuwachtig. 'Wat gevaarlijk!'

Ze keken toe, hoe het bootje steeds sneller langs de oever gleed, steeds sneller... Saki en Soki hadden erg veel plezier en duwden het scheepje telkens van de wal af. Ja ja, en het papier werd nat en ze zonken steeds dieper...

En hoeps, daar kantelde het bootje.

'Oh...' jammerde Omaatje.

Maar Saki en Soki sprongen handig net bijtijds op de wal en ze hadden zelfs hun kimonootjes niet nat gemaakt. Het papieren scheepje dreef verder als een verkreukeld vodje.

Omaatje en Opaatje hadden dat alles gezien en ze waren erg ontsteld.

'Wat doen die kinderen toch gevaarlijke dingen,' riep Omaatje.

'Afschuwelijke dingen,' zei Opaatje. 'Zouden hun ouders dat weten?'

'Vast niet,' zei Omaatje.

'Weet je wat,' zei Opaatje. 'We zullen een telegram sturen aan hun ouders om te waarschuwen dat de kinderen gevaarlijke dingen doen.'

En Opaatje stuurde een telegram naar de ouders van Saki en Soki in Japan. En in dat telegram stond: *Kinderen waren in papieren boot stop gevaarlijk stop steek er een stokje voor. Opaatje en Omaatje.*

De ouders van Saki en Soki ontvingen diezelfde dag nog het telegram en ze riepen dadelijk de kinderen bij zich.

'Wat hoor ik daar,' zei de vader van Saki en Soki. 'Hebben jullie gevaren in een papieren bootje?'

'Ja vader,' zeiden Saki en Soki. 'Hoe weet u dat?'

'Van Omaatje en Opaatje,' zei hun vader. 'We hebben een telegram gekregen. Ze hadden het in Spiegeltje Rondreis gezien. Zo zie je dus. Het komt allemaal uit. En denk erom: dat mag niet meer.'

'Nee vader,' zeiden Saki en Soki en ze gingen met hun kimonootjes buiten op het hekje zitten.

Het was dinsdag en Omaatje en Opaatje keken in de spiegel. 't Was India-dag. Daar zaten Pasjna en Rasjna boven op de olifant. Pasjna was het jongetje, Rasjna was het meisje. Ze hadden een mooi spelletje uitgevonden: Gymnastiek doen op die olifanterug. Pasjna stond op zijn hoofd met de beentjes in de lucht en Rasjna was daarnaast aan het kopje duikelen. Want zo'n rug is zo breed en zo groot dat je er best met z'n tweetjes gymnastiek op kunt doen.

Maar Omaatje die het zag in de spiegel, zei: 'Kijk nou toch eens...'

'Wat griezelig,' zei Opaatje. 'Die kinderen toch...'

'Zouden hun ouders dat weten?' vroeg Omaatje. 'Straks vallen ze eraf. En 't is zo hoog. O, o, wat erg!'

'Ja zeker, zo meteen vallen ze eraf,' riep Opaatje.

Maar Pasjna en Rasjna vielen niet van de olifant. Ze waren erg handig en bedreven en ze waren het zo gewend om op een olifant te rijden. Nee, ze vielen er niet af. Na een poosje verveelde het spelletje hun. En ze zaten weer gewoon achter elkaar op de brede rug van de olifant.

'En toch stuur ik een telegram naar de ouders,' zei Opaatje.

'Gelijk heb je,' zei Omaatje. 'De ouders moeten het weten.'

En er ging een telegram naar de ouders in India. En daar stond in: *Kinderen stonden op hoofd op olifant stop gevaarlijk stop steek er een stokje voor. Omaatje en Opaatje.*

De ouders van Rasjna en Pasjna ontvingen het telegram en schrokken. 'Daar wisten wij niets van,' riepen ze. 'Kom eens gauw hier, Rasjna en Pasjna. Luister eens, hebben jullie op je hoofd gestaan boven op de olifant?'

'Ik wél,' zei Pasjna, 'maar zij niet.'

'Ik heb kopje geduikeld,' zei Rasjna.

'Kopje geduikeld... op je hoofd gestaan...' riep de moeder van Rasjna en Pasjna. 'Wat vreselijk gevaarlijk. En we zouden er niets van geweten hebben, als Omaatje en Opaatje het niet in de spiegel hadden gezien. Ze hebben ons een telegram gestuurd. Nu weten we dus dat jullie gevaarlijke kunsten maken. Je mag de hele dag niet op de olifant.'

Rasjna en Pasjna gingen treurig naar buiten en zeiden: 'Iedereen weet altijd alles van ons.'

Woensdag was het dus strijkdag maar donderdag zaten Omaatje en Opaatje op hun roze stoelen en ze zagen hun kleinkinderen in het Arabische land. Kessib was het jongetje en Kassib was het meisje. Ze speelden juist een heerlijk spelletje bij de pijpleiding. Dwars door de woestijn liep de grote oliepijp, een dikke buis in het zand, waar de olie doorheen vloeit.

'Kijk eens,' zei Omaatje. 'Wat doen ze daar?'

'Ze zijn heel stout,' zei Opaatje. 'Ze boren een gaatje in de pijp.'

'Dat mogen ze toch niet doen,' zei Omaatje angstig.

'Natuurlijk niet,' zei Opaatje. 'Straks komt er een straaltje olie uit de pijp.'

'Stuur dan gauw een telegram,' zei Omaatje.

En zo kwam het dat de ouders in het Arabische land een telegram ontvingen: *Kinderen boren gat in pijpleiding stop steek er een stok voor. Omaatje en Opaatje.*

De ouders werden heel boos toen ze het telegram lazen en ze

holden naar hun kinderen bij de pijpleiding. 'Willen jullie wel eens direct ophouden!' riepen ze.

Kessib en Kassib schrokken en lieten de boor gauw vallen. Ze moesten voor straf vroeg naar bed. En toen ze in bed lagen zeiden ze tegen elkaar: 'Opaatje en Omaatje hebben ons natuurlijk weer verklapt. Dat nare Spiegeltje Rondreis!'

Het was vrijdag en daarom zagen Omaatje en Opaatje die dag de pool-kinderen. Ze zaten op hun slee met hun dikke eskimokleren en met hun grote eskimo-mutsen van bont. De zes dikke pool-honden trokken de slee, die pijlsnel over de sneeuwvlakte joeg. Helemaal achteraan kwam het hele kleine poolhondje (onthoud vooral even het hele kleine pool-hondje).

'Kijk eens,' riep Omaatje. 'Hoe vlug dat gaat! Wat lopen die honden hard. En hoor, de kinderen knallen met de zweep, tjonge dat gaat ervan langs!'

'Het zijn flinke kinderen,' zei Opaatje. 'Maar wat gaan ze nu doen? Ze gaan de kant van de ijsberenberg op.'

'Ja warempel,' zei Omaatje. 'Daar achter die sneeuwberg is het hol van de ijsbeer. Dat moesten ze toch weten?'

'Straks komt de ijsbeer uit z'n hol,' riep Opaatje. 'O kijk eens, daar heb je 'm al. Hij komt al te voorschijn.'

'O,' jammerde Omaatje, 'ik durf niet meer te kijken.' En ze sloeg haar handen voor haar ogen.

Opaatje sloeg zijn handen niet voor zijn ogen. Hij bleef kijken en hij zag de slee vlak langs het ijsberenhol rijden. De ijsbeer ging op z'n achterpoten staan en bromde verschrikkelijk. Hij sloeg zijn klauwen uit en deed een paar stappen in de richting van de slee. Maar Nanuk en Panuk klapten nog harder met de zweep en de honden liepen nog sneller en fts... voorbij was de slee... de ijsbeer hapte in de lucht.

'Je kunt wel weer kijken,' zei Opaatje. 'Er is niets gebeurd. De slee is voorbij. Daar rijden ze. Er is echt niks gebeurd.'

'Oh,' jammerde Omaatje, 'maar wat gevaarlijk. Ze wisten toch dat daar de ijsbeer woont? Waarom gaan ze daar dan zo dicht langs? En zouden hun ouders dat weten?'

'Telegram?' vroeg Opa.

'Telegram!' zei Oma.

En ze stuurden een telegram naar de ouders aan de Noordpool. Daar stond in: *Kinderen gingen vlak langs ijsbeer stop heel gevaarlijk stop steek er een stokje voor. Omaatje en Opaatje.*

Toen de pool-ouders dat telegram ontvingen waren ze erg boos. 'Nanuk en Panuk!' riepen ze. 'Kom eens gauw hier. Is het waar dat jullie met je slee langs het ijsberenhol bent gereden?'

'Hoe weet u dat?' vroegen Nanuk en Panuk.

'Van Omaatje en Opaatje,' zeiden de pool-ouders. 'Die

hebben ons een telegram gestuurd. Ze hadden het gezien in hun Spiegeltje Rondreis.'

'O lieve help,' zeiden Nanuk en Panuk. 'Die zien ook alles. Wat vervelend nou.'

'Jullie krijgen vanavond geen levertraan,' zeiden de poolouders, 'dat is je straf.' De pool-kinderen huilden een beetje. Maar ja, er was niets aan te doen.

Zo ging het met dat Spiegeltje Rondreis van Omaatje en Opaatje. Heel vaak zagen ze stoute dingen. En heel vaak stuurden ze telegrammen. En heel vaak kregen al die kleinkinderen in al die landen straf.

Het werd zomer en het werd vakantie en in die vakantie kwamen al de kleinkinderen bij elkaar op een eiland in de Grote Oceaan. Daar kwamen de Japanse kinderen, daar kwamen de India-kinderen, daar kwamen de Arabische kinderen en daar kwamen de pool-kinderen. Ze logeerden bij tante Nina in een huis tussen de palmen en ze sliepen daar met z'n achten samen in een grote kamer met acht bedjes. En of dat een heerlijke vakantie was, zo met hun allen!

De pool-kinderen hadden het daar natuurlijk erg heet en de anderen riepen: 'Doe dan toch ook je eskimo-kleertjes uit. En zet die eskimo-mutsen af.'

'Nee,' zeiden Nanuk en Panuk. 'We voelen ons zo kaal zonder bont. We houden alles aan.'

'Ook in bed?' vroegen de anderen.

'Ook in bed,' zeiden de pool-kinderen.

'Dan moet je 't zelf maar weten,' zeiden de andere kinderen. 'Straks stikken jullie nog.' 'Dat gaat jullie niks aan,' zeiden de pool-kinderen.

Er zou bijna ruzie gekomen zijn, als niet de Japanse kinderen ineens begonnen waren over Spiegeltje Rondreis.

'Zouden Omaatje en Opaatje op 't ogenblik ook kijken?' vroeg Saki.

'Nee nee,' riepen Kessib en Kassib, 'vandaag niet, want het

is woensdag, dan kijken ze niet, dan is het strijkdag.'

'Wel,' zeiden de India-kinderen, 'nu we hier toch met z'n allen samen zijn moeten we eens ernstig praten over dat Spiegeltje Rondreis. Vinden jullie het ook zo vervelend, dat dat Spiegeltje alles verklapt wat wij doen? En dat onze ouders maar telegrammen krijgen? En dat wij dan straf krijgen?' 'Heel heel erg ontzettend, verschrikkelijk vervelend,' gilden al de andere kinderen. 'We moeten er iets op vinden,' zeiden de Japanse kinderen.

'Wij weten iets,' zeiden de pool-kinderen geheimzinnig.

'O ja? Wat dan?'

'Kom dan eens heel dicht bij ons, dan zullen we het jullie influisteren,' zeiden de pool-kinderen.

En toen kropen al de acht kleinkinderen samen in een bedje. Het was erg nauw en erg warm, vooral met het pool-bont dat in hun neuzen kriebelde, maar het was een erg geschikte manier om te fluisteren. En ze fluisterden een hele tijd. Het ging van smiop... het ging van smoesp, het ging van supdupdup en sepdepdep. En toen ze klaar waren met fluisteren, toen lachten ze, gaven elkaar een zoentje en gingen slapen, ieder in z'n eigen bedje.

Een paar weken daarna, toen alle kleinkinderen weer terug waren in hun eigen land, werd er op een ochtend gebeld bij Omaatje en Opaatje en er werd een grote kist bezorgd. Een kist met gaten.

'Ik denk dat er een beest in zit,' zei Omaatje.

'Ik denk het ook,' zei Opaatje. 'Kijk, de kist komt van de Noordpool. Er zal toch niet een ijsbeer in zitten? Of een walrus?'

'Laten we hem gauw openmaken,' zei Omaatje. 'Ik ben erg nieuwsgierig.'

Opaatje nam de nijptang en maakte de kist open. En wat kwam eruit?

Het hele kleine pool-hondje (je was toch het hele kleine pool-hondje nog niet vergeten...?) ja, dat kleine pool-hondje Noek, dat altijd achter de slee van de pool-kinderen liep.

'Wel, wel, dat is een cadeau van onze kleinkinderen in het Noordpoolgebied,' zei Opaatje. 'Maar wat moeten wij met een hond?'

'O jee,' zei Omaatje, 'wij zijn veel te oud voor een hond. Een hond is zo wild. Als hij maar niet op de roze stoelen gaat liggen. En ook niet op de blauwe. En ook niet op de groene! Hij mag op de grond liggen, op een matje.' De kleine Noek lag dus op een matje en viel in slaap, want hij had een lange reis achter de rug. Hij sliep en hij sliep en hij jankte een beetje in zijn slaap, want hij droomde van zijn baasje en vrouwtje: de pool-kinderen. Hij had een beetje heimwee in zijn slaap.

De volgende dag was het vrijdag en dus pool-dag. Het hondje Noek sliep nog steeds, vlak naast de roze stoelen waar Omaatje en Opaatje op zaten, om te kijken in hun spiegel.

Daar kwamen de pool-kinderen aan op hun sleetje met de zes honden ervoor. Ze klapten met hun zweep. Het kleine hondje Noek werd wakker en spitste zijn kleine pool-oortjes.

'Wat gaat het weer hard,' zei Omaatje. 'Nu zie je ze goed... ze komen vlak langs! De slee kwam naderbij, dichter en dichter... de gezichten van Nanuk en Panuk kwamen nader en nader en ineens riep Nanuk heel hard: 'Kom dan Noek! Noek! Kom maar Noek!'

Noek keek in de spiegel en zag met een oogopslag zijn baasje. Hij vloog erop af. Hij wist niet dat het maar een spiegel was, hij dacht dat ze echt daar kwamen aanrijden. Hij nam een grote sprong en... *beng*... dwars door de spiegel.

'O lieve deugd,' zei Omaatje.

'O goeie help,' zei Opaatje. 'De spiegel in duizend stukken!'

En jawel, van de spiegel was alleen de mooie ronde gouden lijst nog heel. Noek, het pool-hondje keek erg bedroefd. Hij voelde zich bedrogen. Het waren geen ijsschotsen waar hij nu in stond, het waren glas-schotsen.

Omaatje en Opaatje waren ook erg bedroefd. Hun mooie Spiegeltje Rondreis... stuk... helemaal stuk... Ze konden wel huilen en ze zouden daar ook vast aan begonnen zijn, als er niet weer gebeld werd. Ze deden open en er stond een postbode op de stoep die een grote aangetekende brief in zijn hand had.

Omaatje maakte de envelop open en... je kunt nooit raden wat erin zat. Er zaten vliegtickets in. Tickets voor een hele lange reis. Omaatje en Opaatje mochten nu op reis naar *al* hun kleinkinderen. Met de KLM. Eerst een paar weekjes naar de Noordpool. Dan een maandje naar Japan. Dan een poosje naar India en ten slotte een tijdje bij de Arabieren.

'Dit is veel fijner dan een Spiegeltje Rondreis,' riepen ze.

'Dit is de rondreis zelf.' En Omaatje en Opaatje pakten elkaar vast en dansten een grote stoelendans door het hele huis.

Een paar dagen later stapten Omaatje en Opaatje in het grote KLM-vliegtuig voor die hele verre reis. Ze hadden het pool-hondje Noek bij zich aan een rood riempje, om hem terug te geven aan de pool-kinderen.

'Nu kan ik jullie eindelijk knuffelen,' riep Omaatje, toen ze de poolkinderen in haar armen sloot.

Nanuk en Panuk kregen een erg rode kleur en ze stamelden: 'Lieve Omaatje, we hebben zo'n spijt... we zijn erg gemeen geweest... we hebben expres het hondje Noek naar u toe gestuurd om hem in de spiegel te laten springen. Maar we deden het omdat we het zo akelig vonden dat Spiegeltje Rondreis altijd alles verklapte wat wij deden.'

'Hoe is het mogelijk...' zeiden Omaatje en Opaatje verbluft. Maar toen riepen ze uit: 'We zien jullie nu *echt* en dat is veel beter dan alle spiegels van de wereld.'

Het werd een heerlijke reis. Ze bleven wel een jaar weg, want als je zoveel kleinkinderen hebt, doe je lang over zo'n logeerpartij.

En toen ze eindelijk terugkwamen in hun eigen huis, toen vonden ze in de kamer waar vroeger de spiegel had gehangen, een groot televisietoestel.

Er hing een briefje aan: Van alle kleinkinderen.

'Wat lief van ze...' zei Omaatje.

'Heel lief,' zei Opaatje.

Ze keken nu voortaan naar de televisie. En ze zagen verre vreemde landen, maar ze hoefden nooit meer ongerust of verontwaardigd te zijn, want hun kleinkinderen met al die stoute spelletjes, die zagen ze niet meer.

De lijst van Spiegeltje Rondreis was nog over. De mooie grote ronde gouden lijst.

'Wat zullen we daarmee doen?' vroeg Opaatje.

'Laten we die lijst aan de meneer van de KLM geven,' zei Omaatje.

En dat deden ze.

'Dank u wel,' zei de meneer van de KLM. 'We kunnen die lijst heel goed gebruiken.'

Waar de koning trek in had

Maar Knelia! zei de koning
al tegen de koningin.
Kijk hier op dit potje staat honing
en er zit geen honing meer in!
De koningin zat te beven
en vroeg aan de keukenmeid:
Och, wil je wat honing geven
voor Zijne Majesteit?
Maar toen de koning de honing zag
toen wou hij toch maar liever hagelslag.

Hij greep naar de hagelslagtrommel
en zei tot de koningin:
Wat is dit nu weer voor den drommel,
er zit geen hagelslag in!
De koningin zat te beven
en vroeg aan de keukenmeid:
Och, wil je wat hagelslag geven
voor Zijne Majesteit?
Maar toen de hagelslag er was
toen wilde de koning rammenas.

De rammenas kwam en toen, helaas,
wilde de koning pindakaas
en toen de pindakaas er kwam,
wilde hij enkel een boterham.
Maar, zei hij met bulderende stem,
ik wil op die boterham bosbessenjam.
En toen de bosbessenjam er stond
wilde hij liever een suikerklont
en toen de suikerklont kwam zei hij:
Nu wil ik toch liever frambozengelei
en toen wou hij muisjes en toen wou hij pasta
en toen zei de koningin eindelijk: *Basta!*

En zo ging Zijne Majesteit
de straat op zonder zijn ontbijt.
Daar stond hij te huilen, en wie kwam daar an?
De ijscoman, de ijscoman!
Toen at de koning een liter ijs
vlak voor 't koninklijk paleis.

Joehoe, riep de koning, Knelia, schat,
dit was nu, waar ik trek in had!

Iedereen heeft een staart

Wat jammer nou, zei het konijntje,
iedereen heeft een prachtige staart,
en ik heb alleen maar zo'n kleintje.
Dat ding is de moeite niet waard.

De pauw heeft er eentje van veren.
De poes heeft er een van bont.
Het paard heeft een staart, van hopsakee,
tot onderaan toe op de grond.

De koe heeft er een met een kwastje.
De vos heeft er een met een pluim,
en ik heb er eentje van lik me vest.
Ik vind het gewoon een verzuim.

Heeft dat jongetje daar ook een staartje?
Dat kan ik niet duidelijk zien.
't Zit zeker verstopt in z'n broekje.
Ook eentje met veren misschien?

En de hond heeft er een die kan kwispelen.
De big heeft er een met een krul.
De aap heeft een heeele lange, meneer!
En ik heb er een van 't jaar nul.

Ik zal maar een nieuwe gaan halen,
want kijk 's, hier vlak naast de deur
daar heb je de staarten-centrale.
Daar zijn ze te kust en te keur.

Toen heeft het konijn voor een kwartje
de staart van een poedel gehuurd.
En nou is hij – daar is geen twijfel meer an –
het mooiste konijn uit de buurt.

Pippeloentje gaat uit logeren

Kijk, wie loopt daar over 't gras?
Pippeloentje, Pippeloentje!
zonder schoentjes, zonder jas,
en wat heeft hij in zijn tas?

Een berenborstel, een berenkam
een dubbele berenboterham,
een berensponsje en berenzeep,
een berenchocoladereep,
en een klein, klein berentheeblaadje
voor Omaatje.

'k Zou zo graag eens willen weten,
Pippeloentje, Pippeloentje,
'k zou zo graag eens willen weten,
wat je allemaal zult eten.

Een bord met berenhavermout
en berenworteltjes zonder zout,
en berenzuurkool met berenworst
en berenappeltjes voor de dorst

en een klein, klein berentomaatje
van Omaatje.

Zeg me nou nog bovendien,
Pippeloentje, Pippeloentje,
zeg me nou nog bovendien
wat je allemaal zult zien.

Een berenkamer, een berenklok,
een tuin met 'n berenkippenhok,
een berenzandbak met berenzand,
en 'n heel groot berenledikant,
en een klein, klein berenpyjamaatje
bij Omaatje.

De heks van Sier-kon-fleks

Dit is de heks van Sier-kon-fleks,
ze woont in Kopenhagen.
Iedere dag doet zij wat geks
en alle mensen klagen:
O wat een heks,
wat een akelige heks,
hoe lang moet dat nog duren?
Wie wil de heks van Sier-kon-fleks
voorgoed het bos in sturen?

Op zondag neemt zij de kolonel
en tovert hem om in een mokka-stel.

Op maandag doet zij niet zoveel,
dan jakkert zij op haar bezemsteel.

Op dinsdag eet zij een schooljuffrouw
en laat het verder maar blauw-blauw.

Op woensdag neemt zij het mokka-stel
en tovert het om in een kolonel.

(De vreugd is maar van korte duur:
hij zit nog onder het glazuur.)

Op donderdag neemt zij het dameskoor
en schuift het onder de voordeur door.

Op vrijdag bijt zij de griffier
en wikkelt hem in vloeipapier.

Op zaterdag gaat zij in 't bad,
zodat het in de rondte spat,
en verder speelt zij met haar kat
het spelletje van 'wie doet me wat'.

Dit is de heks van Sier-kon-fleks,
zij woont in Kopenhagen.
Alle mensen staan perpleks
zoals die heks kan plagen.
O wat een heks,
wat een griezelige heks,
't is niet om te verdragen.
Wie wil de heks van Sier-kon-fleks
voorgoed het bos in jagen?

De polder en het riet

De polder zegt: Ik lig hier op mijn rug
en tuur de ganse lieve dag naar boven;
misschien is het verbeelding maar ik vind
dat ik aldus de wolken beter zien kan...
Of is het tóch verbeelding... zegt de polder.

En ondertussen schopt het water tegen het riet
met blote voetjes, aldoor maar met blote voetjes

tegen 't riet dat niets terug doet en dat droomt
en dat maar wacht en dat maar droomt van...
  Neen, niet daarvan...
Van zes Chinese paardeharen droomt het,
van zes Chinese haren uit de witte staart,
uit de Chinese staart van Kwin Yang's witte ros.
Van die zes haren zou Kwin Yang, als hij nog leefde,
een wit penseel vervaardigen en daarmee zou hij
het wachtend riet vereeuwigen, als hij nog leefde...
Maar hij is dood, allang, allang... allang, allang,
  Kwin Yang.
Maar sst, verzwijg het! Zeg het niet tegen het riet!
Het zou zo treurig worden, 't riet, als het dat hoorde.
Het zou ineens de blote voetjes van het water
niet meer verdragen.

De polder zegt: Ik lig hier op mijn rug,
maar als het donker wordt dan wil ik wel eens even
mijn ogen sluiten, want de wolken in het donker
maken mij eenzaam. En de vogels in het donker
maken mij eenzaam.
Of is het tóch verbeelding... zegt de polder.

Stekelvarkentjes wiegelied

Suja suja Prikkeltje, daar buiten schijnt de maan,
je bent een stekelvarkentje, maar trek het je niet aan,
je bent een stekelvarkentje, dat heb je al begrepen,
de leeuwen hebben manen en de tijgers hebben strepen
en onze tante eekhoorn heeft een roje wollen staart,
maar jij hebt allemaal stekeltjes en dát is zoveel waard.
Slaap, mijn kleine Prikkeltje, dan word je groot en dik,
dan word je net zo'n stekelvarken als je pa en ik.
Het olifantje heeft een slurf, de beren hebben klauwen,
de papegaai heeft veren, van die groene, van die blauwe,
en onze oom giraffe heeft een héle lange nek,
maar jij hebt allemaal stekeltjes en dat is ook niet gek.
Suja suja Prikkeltje, het is al vreselijk laat,
je bent het mooiste stekelvarken, dat er maar bestaat,
de poezen hebben snorren en daar kunnen ze door spinnen,
de koeien hebben horens en de vissen hebben vinnen,
en onze neef, de otter, heeft een bruinfluwelen jas,
maar jij hebt allemaal stekeltjes, die komen nog te pas.